D0275211

PROFIL
DE MA
PERSONNALITÉ

ÉDITION DU CLUB QUÉBEC LOISIRS INC.

ISBN-2-89037-397-5

CLAUDE FOREST, PH. D.

PROFIL DE MA PERSONNALITÉ

UN LIVRE-TEST SUR LA CONNAISSANCE DE SOI

Remerciements

Je tiens à exprimer ma très vive reconnaissance à Jeannine Oligny-Forest et à Luc Forest. Leur précieux concours à toutes les étapes du projet a été déterminant dans l'élaboration de ce livre. Tant au plan de la rédaction qu'à celui de la recherche, ils ont été d'indispensables collaborateurs. Merci à Gilles Marty pour ses judicieuses corrections ainsi qu'à Mme Diane Martin, directrice de l'édition chez Québec/Amérique. Mes remerciements s'adressent aussi à toutes les personnes qui, au fil des ans, ont gracieusement participé à l'expérimentation du test SIGMA.

À Rosaire et Lucienne,
qui m'ont donné la vie.

Table des matières

Chapitre 3: Réflexions

Chapitre 4: Réévaluation

Conclusion

Connais-toi toi-même

Devise de Socrate

Non pas savoir ni pouvoir mais aimer,
car aimer est savoir et pouvoir

Parole de Sagesse

Introduction

Le test que vous propose ce livre est le fruit de recherches échelonnées sur près de 20 ans. À partir de l'étude de H. A. Murray[1] et de l'exposé de J. P. Guilford[2] sur les besoins psychologiques, nous avons construit un premier test de personnalité intitulé SIGMA*30 (versions française et anglaise) qu'administrèrent psychologues et conseillers d'orientation au cours des années 70.

Au début, le rapport informatisé était rédigé à l'intention de la personne qui avait répondu au test, mais une instance professionnelle devait lui en interpréter le contenu. Depuis, le test original a été entièrement remanié, puis expérimenté dans un nouveau format. Les trois objectifs visés étaient qu'on puisse répondre au test dans un livre de lecture facile, en calculer soi-même les résultats suivant une méthode simple, puis avoir immédiatement accès à l'interprétation de son profil de personnalité. Les pages qui suivent vous présentent cette nouvelle version du test qui se nomme SIGMA.

Ce livre repose sur l'hypothèse qu'une meilleure connaissance de soi peut être source de progrès personnel et qu'une meilleure connaissance de l'autre peut favoriser la compréhension mutuelle.

On n'y trouvera ni diagnostic de santé mentale, ni exploration de l'inconscient, ni conseil d'orientation scolaire ou professionnelle, ni évaluation du niveau intellectuel, ni jugement moral sous forme d'éloges ou de critiques.

Il ne sera pas question de votre comportement mais de vos préférences.

Ce livre-test veut être le miroir le plus fidèle possible de certaines dimensions de votre personnalité. Par dimensions de la personnalité, nous désignons les besoins psychologiques

---

1. H. A. Murray, *Explorations in personality*, New York, Oxford University Press, 1938.
2. J. P. Guilford, *Personality*, New York, McGraw-Hill, 1959.

qui vous poussent à agir, les lignes de force de votre motivation, vos penchants les plus prononcés. Le profil psychologique que vous allez tracer identifie ces principales tendances de votre caractère. Nous n'en dirons pas plus pour l'instant.

Si une seule illusion sur vous-même fait place à une perception plus réaliste, ce livre aura atteint son but. Et même si une interrogation ne reçoit pas de réponse claire, cet exercice de réflexion conserve toute sa valeur car il appelle, tôt ou tard, une réponse à la question posée.

Pour établir votre profil de personnalité, ce livre-test fait appel à l'image consciente que vous avez de vous-même. Tout comme pour l'iceberg, ce n'est que la pointe qu'on aperçoit. Votre univers personnel est infiniment plus vaste et plus profond que ce qui est évalué par ce test. Cependant, le profil qu'il vous permet de tracer vous aidera à accroître votre connaissance de vous-même, surtout si vous en discutez avec votre entourage. La découverte de soi est une évolution toujours inachevée. Ce livre vous offre l'occasion d'en savoir davantage sur votre personnalité afin d'apprendre à mieux vous aimer.

Claude Forest, Ph. D.
psychologue-chercheur
membre de la C.P.P.Q.

Pour ateliers, conférences ou consultations, on peut communiquer avec l'auteur à l'adresse postale suivante:

C.P. 234
Ste-Dorothée
Laval, QC
H7X 2T6

Chapitre 1
Évaluation

Le test SIGMA

Directives

- Il est recommandé de ne consulter ni le signet ni les interprétations du chapitre 2 avant d'avoir complété les 3 pages du test.

- On vous demande d'indiquer vos goûts, vos préférences et non votre comportement. Il n'est pas question de ce que vous faites mais de ce que vous **aimez faire**, de ce qu'il vous **plairait de faire**.

- Dans ce test, il n'y a ni bonne ni mauvaise réponse. En principe, toute réponse qui reflète votre univers personnel est bonne puisque c'est la vôtre. Votre première impression est votre meilleur guide.

- Si vous êtes sous le coup d'une émotion ou dans une période de grande fatigue, vos réponses risquent d'être influencées par votre état d'esprit passager. Il vaut mieux attendre un moment plus favorable.

- Aucune limite de temps n'est imposée pour répondre à ce test. Il n'est pas nécessaire de remplir les 3 pages en une seule séance.

- Ne consultez pas votre entourage pendant que vous répondez au test.

A) Parmi les 21 types d'activités de la page 23, choisissez ceux **que vous aimez le plus** et inscrivez ***1*** dans au moins 3 cases mais dans pas plus de 5 cases. — Ex. ***1***

B) Parmi les types d'activités qui restent, choisissez ceux **que vous aimez le moins** et inscrivez ***5*** dans au moins 3 cases mais dans pas plus de 5 cases. — Ex. ***5***

C) Parmi les types d'activités qui restent, choisissez ceux **que vous aimez le plus** et inscrivez ***2*** dans au moins 3 cases mais dans pas plus de 5 cases. — Ex. ***2***

D) Parmi les types d'activités qui restent, choisissez ceux **que vous aimez le moins** et inscrivez ***4*** dans au moins 3 cases mais dans pas plus de 5 cases. — Ex. ***4***

E) Inscrivez ***3*** dans les cases restées vides. — Ex. ***3***

convaincre les gens, donner des conseils, influencer les autres 2

rechercher la tranquillité, vivre dans l'harmonie, bien m'entendre avec tous 3

avoir du prestige, être en évidence, avoir bonne réputation 3

consoler les gens, encourager quelqu'un, témoigner ma sympathie 3

réaliser mes ambitions, jouer pour gagner, réussir à tout prix 4

enrichir ma vie intérieure, cultiver ma spiritualité, me livrer à la méditation 2

mûrir un projet, réfléchir avant d'agir, prévoir les obstacles 2

faire une sortie, voir du pays, changer d'environnement 3

tendre vers l'excellence, réaliser mon idéal, rechercher la perfection 2

me lier amoureusement, former un couple, vivre un grand amour 1

travailler dur, résister à la fatigue, avoir de l'endurance 4

recevoir des cadeaux, me faire bien soigner, être l'objet de gentillesses ... 2

ne rien devoir à personne, taire mes soucis, garder mon indépendance 4

travailler en équipe, participer à un projet, m'associer à des partenaires ... 1

faire ce qui me plaît, agir à ma guise, vivre selon ma fantaisie 1

recevoir des suggestions, suivre un bon conseil, tenir compte d'un avis ... 3

tenter ma chance, faire un pari, jouer quitte ou double 5

respecter les convenances, suivre les coutumes, faire comme les autres ... 5

défendre une cause, faire valoir mes droits, combattre une injustice 1

tenir une comptabilité, dresser un inventaire, classer des documents 5

percer un secret, deviner des intentions, lire dans les pensées 1

A) Parmi les 21 types d'activités de la page 25, choisissez ceux **que vous aimez le plus** et inscrivez ***1*** dans au moins 3 cases mais dans pas plus de 5 cases.

Ex. ***1***

B) Parmi les types d'activités qui restent, choisissez ceux **que vous aimez le moins** et inscrivez ***5*** dans au moins 3 cases mais dans pas plus de 5 cases.

Ex. ***5***

C) Parmi les types d'activités qui restent, choisissez ceux **que vous aimez le plus** et inscrivez ***2*** dans au moins 3 cases mais dans pas plus de 5 cases.

Ex. ***2***

D) Parmi les types d'activités qui restent, choisissez ceux **que vous aimez le moins** et inscrivez ***4*** dans au moins 3 cases mais dans pas plus de 5 cases.

Ex. ***4***

E) Inscrivez ***3*** dans les cases restées vides.

Ex. ***3***

diriger un groupe, être le chef, avoir de l'autorité 3

parvenir à un accord, faire des concessions, accepter un compromis 5

faire bonne impression, paraître à mon avantage, avoir de la distinction ... 2

me sacrifier volontiers, pardonner aux autres, me dévouer généreusement . 4

relever un défi, arriver en tête, entrer en compétition 3

me connaître à fond, expliquer mes réactions, analyser mes émotions 2

établir un système, organiser mes activités, travailler avec méthode 4

chercher à me distraire, bien m'amuser, me changer les idées 3

poursuivre jusqu'au bout, atteindre mes objectifs, achever un travail 3

parler d'amour, être romantique, exprimer mon affection 1

dépenser mon énergie, trouver à m'occuper, déborder de vitalité 3

me faire pardonner, recevoir du réconfort, trouver de la compréhension .. 2

tenir à mes idées, me fier à mon jugement, trouver ma propre solution 1

rencontrer les gens, me lier d'amitié, connaître beaucoup de monde 1

vivre ma vie, fuir les contraintes, être libre comme l'air 3

m'excuser d'une erreur, reconnaître mes torts, faire acte d'humilité 4

aller vers l'inconnu, tenter des expériences, rechercher la nouveauté 1

observer la loi, suivre les directives, obéir aux règlements 5

dire ce que je pense, mettre cartes sur table, m'expliquer sans détours 2

mettre de l'ordre, ranger mes affaires, disposer les objets correctement ... 5

observer les autres, étudier les personnalités, interpréter les comportements 1

A) Parmi les 21 types d'activités de la page 27, choisissez ceux **que vous aimez le plus** et inscrivez ***1*** dans au moins 3 cases mais dans pas plus de 5 cases.

Ex. *1*

B) Parmi les types d'activités qui restent, choisissez ceux **que vous aimez le moins** et inscrivez ***5*** dans au moins 3 cases mais dans pas plus de 5 cases.

Ex. *5*

C) Parmi les types d'activités qui restent, choisissez ceux **que vous aimez le plus** et inscrivez ***2*** dans au moins 3 cases mais dans pas plus de 5 cases.

Ex. *2*

D) Parmi les types d'activités qui restent, choisissez ceux **que vous aimez le moins** et inscrivez ***4*** dans au moins 3 cases mais dans pas plus de 5 cases.

Ex. *4*

E) Inscrivez ***3*** dans les cases restées vides.

Ex. *3*

donner des directives, expliquer une tâche, superviser un travail 4

prévenir tout conflit, éviter les disputes, faire la paix 3

susciter l'admiration, chercher à me distinguer, mériter des félicitations .. 3

porter secours, donner un coup de main, rendre service 3

tenter l'impossible, battre un record, accomplir un exploit 3

réfléchir sur la vie, me poser des questions, m'interroger sur l'univers ... 2

établir un programme, procéder par étapes, planifier mon travail 3

fuir la routine, modifier mes projets, varier mes activités 3

persister dans une voie, surmonter les obstacles, me montrer tenace 2

m'épanouir sexuellement, plaire physiquement, vivre ma sexualité 2

m'engager à fond, me dépenser sans compter, travailler avec enthousiasme 1

me sentir à l'abri, chercher protection, vivre en sécurité 5

subvenir à mes besoins, ne compter que sur moi, savoir me débrouiller ... 3

me lier aux autres, me joindre à un groupe, appartenir à une organisation . 1

n'avoir aucun rendez-vous, avoir du temps libre, disposer de loisirs 5

respecter les gens, écouter attentivement, laisser les autres s'exprimer 3

prendre des risques, affronter le danger, éprouver des sensations fortes ... 4

accomplir mon devoir, avoir des principes, respecter la morale 3

répondre du tac au tac, répliquer à la critique, riposter vivement 4

adopter une routine, travailler avec minutie, voir aux moindres détails 5

avoir du flair, deviner juste, me fier à une intuition 1

N.B. Pour chacune des 3 pages du test, assurez-vous d'abord que les chiffres 1, 2, 4 et 5 n'apparaissent pas moins de 3 fois et pas plus de 5 fois. Au besoin, veuillez effectuer les corrections nécessaires.

Calcul des 21 scores

En vue d'établir votre profil de personnalité, il faut maintenant vous familiariser avec l'organisation de ce test.

Considérez la première ligne des pages 23, 25 et 27: elle évalue une même dimension psychologique à partir de 3 composantes. Vous devez d'abord additionner les 3 nombres que vous avez inscrits dans la première case de ces 3 pages et inscrire le total dans la première case de la page 31. Dans l'illustration de la page suivante, la loupe vous fait voir en gros plan les 3 nombres de la première ligne (1, 2, 1) et leur total (4). C'est un exemple fictif.

De même, la deuxième ligne de ces 3 mêmes pages évalue une deuxième dimension psychologique à partir de 3 composantes. Le total (8) des 3 nombres de la deuxième ligne (3, 2, 3) doit donc être inscrit dans la deuxième case de la page 31, comme le montre l'illustration.

Et ainsi de suite jusqu'à la vingt et unième ligne.

La page suivante suggère une façon pratique de fixer les pages 23, 25, 27 et 31 à l'aide de 2 trombones.

Pour plus de sûreté, veuillez calculer à nouveau les 21 scores de la page 31.

Après avoir enlevé les trombones, continuez à la page 30.

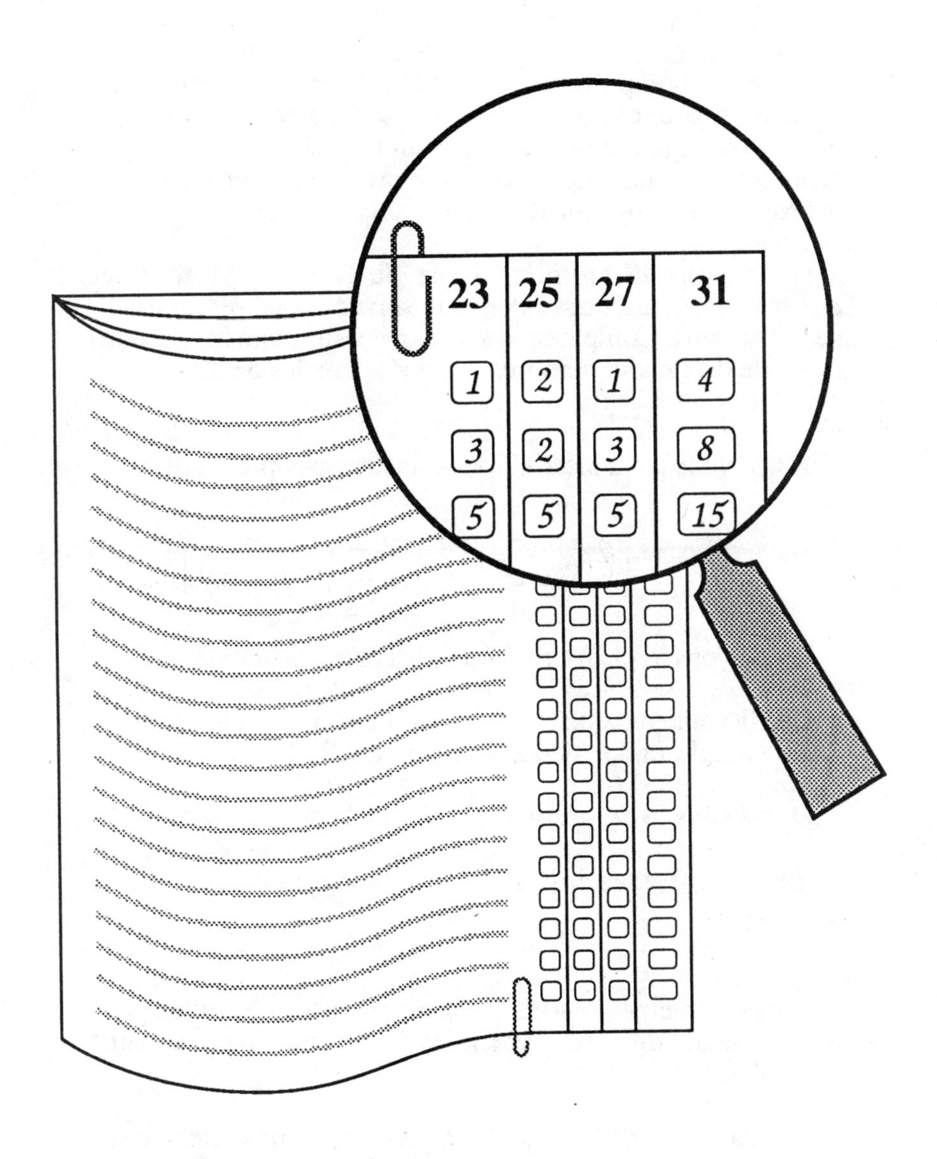
23
25
27
31
1
2
1
4
3
2
3
8
5
5
5
15

Établissement du profil

Pour chacune des 21 lignes du test, vous avez inscrit à la page 31 un score qui varie de 3 à 15. L'étape suivante consiste à comparer, pour chaque ligne, votre score à ceux d'un groupe de personnes qui ont déjà répondu au test. Vous pourrez ainsi savoir jusqu'à quel point vos 21 scores sont plus élevés ou plus bas que la moyenne des gens.

Considérez la première ligne de la page 31 intitulée *Leadership* (ce mot et ceux qui le suivent vous seront expliqués plus loin). Comparez le score que vous avez inscrit dans la case de droite aux nombres indiqués dans les 5 cases précédentes.

A) Si vous avez inscrit 3 ou 4, hachurez la première case.

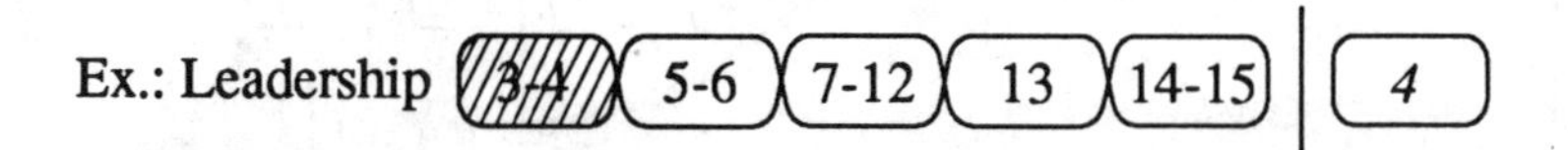

B) Si vous avez inscrit 5 ou 6, hachurez la deuxième case.

C) Si vous avez inscrit 7, 8, 9, 10, 11 ou 12, hachurez la case du milieu (7-12 signifie 7 à 12).

D) Si vous avez inscrit 13, hachurez la quatrième case.

E) Si vous avez inscrit 14 ou 15, hachurez la dernière case.

Faites de même pour les 20 lignes suivantes. Veuillez noter que les valeurs qui déterminent les 5 niveaux changent d'une ligne à l'autre.

Les 21 cases hachurées de la page 31 représentent votre profil de personnalité. Une fois le profil tracé, veuillez continuer à la page 32.

	++	+	=	–	– –
Leadership	3-4	5-6	7-12	13	14-15
Pacifisme	3	4	5-8	9-10	11-15
Fierté	3-4	5	6-9	10-11	12-15
Sollicitude	3	4-5	6-9	10	11-15
Ambition	3-5	6-7	8-12	13-14	15
Introspection	3	4	5-10	11-13	14-15
Méthode	3	4-5	6-9	10-11	12-15
Changement	3-4	5	6-9	10-11	12-15
Persévérance	3-4	5	6-9	10-11	12-15
Sexualité	3	4	5-8	9-10	11-15
Énergie	3-4	5	6-9	10-11	12-15
Dépendance	3-5	6	7-10	11-12	13-15
Autonomie	3	4-5	6-9	10	11-15
Association	3-4	5-6	7-10	11-12	13-15
Liberté	3-5	6-7	8-11	12-13	14-15
Déférence	3-4	5-6	7-10	11	12-15
Audace	3-7	8-9	10-13	14	15
Conformisme	3-6	7-8	9-12	13-14	15
Agressivité	3-5	6	7-10	11-12	13-15
Ordre	3-5	6-7	8-12	13	14-15
Psychologie	3-4	5	6-10	11-12	13-15

Transcription sur le signet

En vue de faciliter l'interprétation de votre profil, transcrivez celui-ci sur le signet fourni à la fin du livre. Ce signet est imprimé sur le rabat de la couverture: vous n'avez qu'à le découper. Vous voyez une reproduction du signet à la page suivante. À mesure que vous progresserez dans l'interprétation de vos résultats, ce signet, en plus de vous aider à indiquer la page consultée, vous permettra en tout temps d'avoir votre profil sous les yeux.

Pour transcrire votre profil sur le signet, placez les 21 lignes du signet vis-à-vis des 21 lignes de la page 31. Transcrivez ensuite les hachures de la page 31 dans les cases correspondantes du signet. Notez que les cases du signet ne contiennent que les signes imprimés en haut de la page 31 (++, +, =, –, – –). Ignorez pour l'instant les nombres apparaissant sur le signet. Voici, en guise d'illustration, la transcription du score de l'exemple présenté à la page 30.

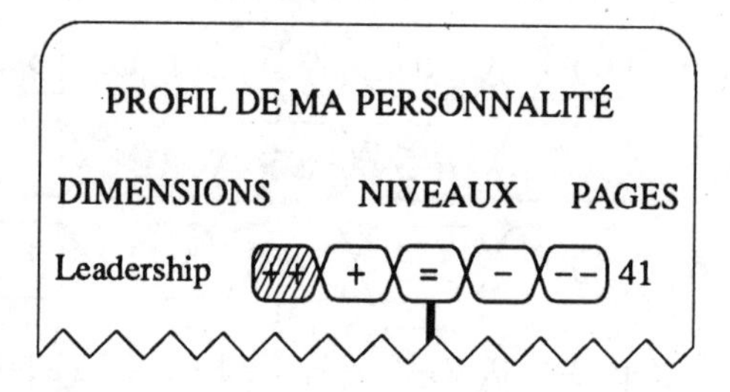

Vous pouvez maintenant transcrire sur le signet les 21 scores de votre profil, indiquer la date, puis continuer à la page 34.

PROFIL DE MA PERSONNALITÉ

DIMENSIONS	NIVEAUX	PAGES
Leadership	++ + = − −−	41
Pacifisme	++ + = − −−	47
Fierté	++ + = − −−	53
Sollicitude	++ + = − −−	59
Ambition	++ + = − −−	65
Introspection	++ + = − −−	71
Méthode	++ + = − −−	77
Changement	++ + = − −−	83
Persévérance	++ + = − −−	89
Sexualité	++ + = − −−	95
Énergie	++ + = − −−	101
Dépendance	++ + = − −−	107
Autonomie	++ + = − −−	113
Association	++ + = − −−	119
Liberté	++ + = − −−	125
Déférence	++ + = − −−	131
Audace	++ + = − −−	137
Conformisme	++ + = − −−	143
Agressivité	++ + = − −−	149
Ordre	++ + = − −−	155
Psychologie	++ + = − −−	161

DATE: ____________________

Explication des cinq niveaux

Pour les fins de ce test, voici les proportions approximatives selon lesquelles les 5 niveaux ont été partagés.

Niveaux	*Signes*	*Proportions*	
très élevé	+ +	10% des gens soit	2 individus sur 20
élevé	+	15% des gens soit	3 individus sur 20
moyen	=	50% des gens soit	10 individus sur 20
bas	–	15% des gens soit	3 individus sur 20
très bas	– –	10% des gens soit	2 individus sur 20

En d'autres termes, si on prend 20 individus au hasard et qu'on les échelonne d'après le niveau d'importance qu'ils accordent à une même dimension (par exemple le *Leadership*), les 2 premiers se situent à un niveau très élevé, les 3 suivants à un niveau élevé, les 10 suivants à un niveau moyen, les 3 suivants à un niveau bas et les 2 derniers à un niveau très bas. Cette répartition arbitraire en 5 niveaux permet de comparer les résultats des 21 dimensions pour établir le profil de personnalité.

Il faut bien préciser que les termes opposés *élevé* et *bas* de même que les signes contraires + et – ne signifient nullement qualité et défaut, atout et handicap. Pour que le courant passe, le pôle négatif d'une pile est aussi important que le pôle positif: il ne lui est pas inférieur. C'est une simple convention de langage.

En suivant les directives du test, vous avez indiqué presque autant d'activités préférées que d'activités moins aimées. Ce sont vos 21 résultats, comparés à la moyenne des gens, qui constituent votre profil de personnalité. Il est fréquent qu'un profil contienne une dizaine de signes = et même davantage. Les dimensions qui diffèrent de la moyenne sont celles qui vous distinguent de la majorité des gens.

Interprétation du profil

La page 31 et le signet mentionnent 21 dimensions psychologiques (*Leadership*, *Pacifisme*, *Fierté*, etc.). Au chapitre 2, vous trouverez un texte qui interprète chacun de vos 21 résultats.

Dans un premier temps, nous vous rappellerons les contenus mêmes des items auxquels vous avez répondu sur chacune des 3 pages du test. C'est en effet d'après vos réponses à ces questions que sont calculés les 21 scores qui déterminent votre profil.

À titre d'exemple, considérez la dimension *Leadership*. Comme il a déjà été mentionné, chaque première ligne des pages 23, 25 et 27 évalue une composante différente du *Leadership*. En voici le détail.

Leadership

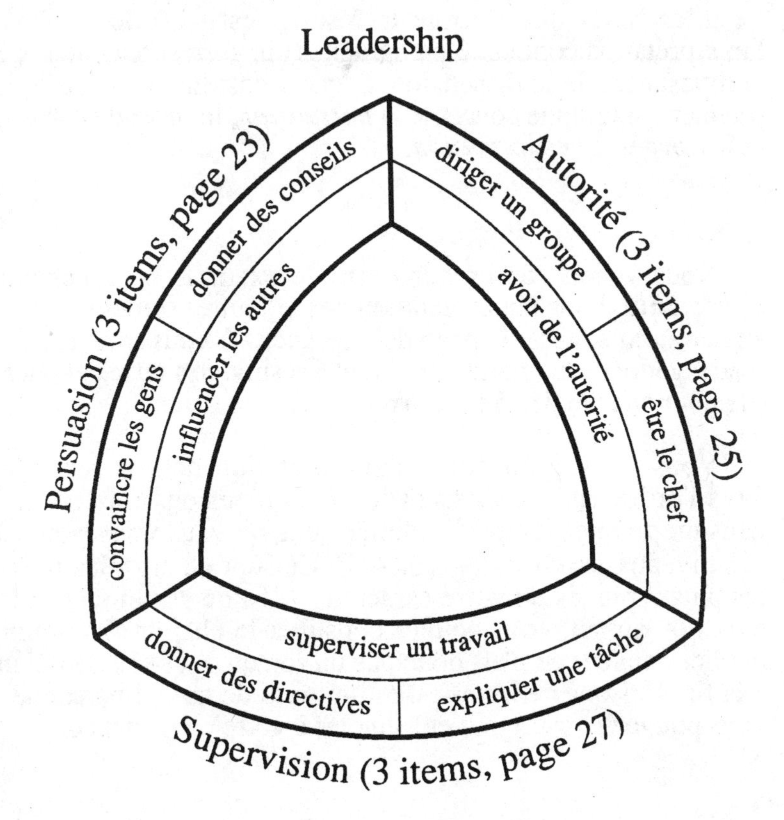

Les 9 items évaluent donc 3 façons d'avoir de l'ascendant sur les autres dans des rôles de *persuasion*, d'*autorité* et de *supervision*. C'est la somme de vos résultats pour ces 3 composantes qui détermine votre score pour la dimension *Leadership*.

En haut du signet, sous le mot PAGES, vous pouvez lire le nombre 41. Vous trouverez donc à la page 41 le même diagramme de forme triangulaire illustrant les 3 composantes du *Leadership* et les 3 groupes de 3 items qui ont servi à les évaluer.

À la suite de la page 41, vous trouverez 5 textes différents qui expliquent chacun des 5 niveaux de *Leadership*: très élevé (+ +), élevé (+), moyen (=), bas (–) et très bas (– –).

Un seul des 5 textes s'applique à vous selon la case que vous avez hachurée sur votre signet pour cette dimension. Veuillez noter que lorsque le résultat est très élevé (+ +), l'interprétation contient 3 paragraphes qui correspondent aux 3 composantes de la dimension. Dans le cas du *Leadership*, le premier paragraphe concerne la *persuasion*, le second l'*autorité* et le troisième la *supervision*.

* * *

Nous venons de prendre comme exemple la dimension *Leadership*. Pour l'interprétation des 20 autres dimensions, le signet indique aussi la page de référence où vous trouverez le même genre de diagramme triangulaire suivi des textes explicatifs pour chacun des 5 niveaux.

Vous pouvez consulter l'interprétation de vos résultats dans l'ordre où apparaissent les 21 dimensions ou aborder, dans un premier temps, les dimensions où vous vous situez à des niveaux extrêmes (++ ou – –). Ce sont en effet les traits les plus typiques de votre caractère. À l'aide des numéros de pages du signet, vous pouvez consulter le chapitre 2 comme un dictionnaire: ce n'est donc pas un roman qui se lit du début à la fin. Puisque ce livre-test est un outil de travail personnel, vous pouvez le souligner et l'annoter à votre convenance.

Voici maintenant le moment d'interpréter vos résultats. À cette fin, veuillez consulter le chapitre 2 à l'aide du signet qui résume votre profil. Vous y trouverez plusieurs confirmations et certaines révélations qui vous étonneront peut-être. Chose certaine, vous y découvrirez matière à réflexion et à discussion. Bonne exploration!

Chapitre 2

Interprétation

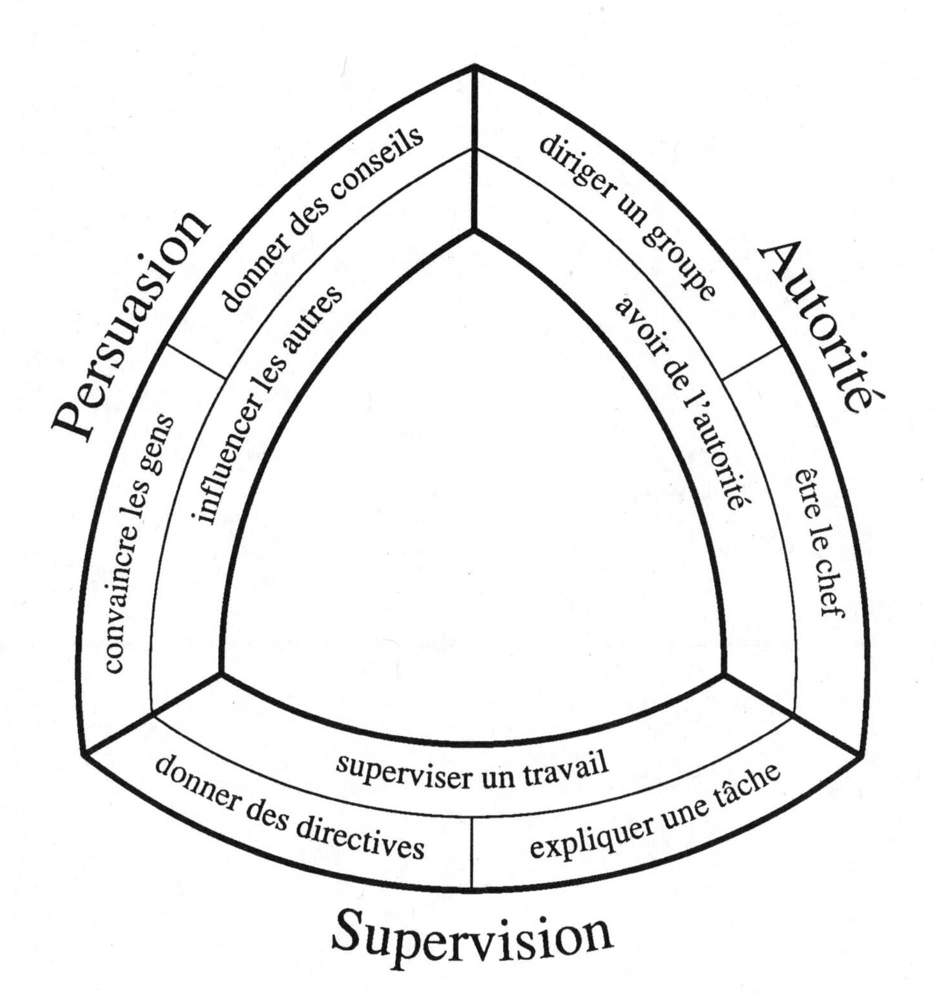
Persuasion
donner des conseils
influencer les autres
convaincre les gens
Autorité
diriger un groupe
avoir de l'autorité
être le chef
Supervision
superviser un travail
donner des directives
expliquer une tâche

Leadership

Leadership + +

Vous aimez avoir de l'influence sur votre entourage en faisant valoir vos idées. Ce désir de faire partager votre point de vue vous incite à démontrer le bien-fondé de vos opinions. Par la persuasion, vous cherchez à gagner les gens à votre cause. Il vous est facile de multiplier les arguments qui ébranlent les sceptiques. Vous dispensez sans réserve conseils et suggestions dans l'espoir que vos recommandations porteront leurs fruits. Quand les autres modifient leur décision ou leur comportement par suite de votre intervention, vous éprouvez la vive satisfaction d'avoir atteint votre but. On résiste difficilement à votre volonté de convaincre.

L'exercice de l'autorité vous attire. Votre sens aigu du leadership vous dispose à diriger un groupe, à coordonner les efforts de ses membres et à les guider vers un objectif commun. Vous tenez à prendre l'initiative des opérations et à indiquer la marche à suivre. S'il faut affirmer votre emprise, vous avez l'étoffe pour vous imposer. Il vous est fort agréable de jouer un rôle de premier plan en vous chargeant de tout. Cette tendance à vous sentir responsable des gens peut vous amener à prendre la tête d'un mouvement, à présider un comité, à piloter un projet ou à assumer toute charge de direction où vos talents de chef seront mis à profit. Tenir les rênes du pouvoir et donner des ordres conviennent à votre personnalité autoritaire.

Une responsabilité administrative où il faut superviser des opérations ou gérer des ressources humaines est susceptible de satisfaire votre désir de mener les autres. Il vous plaît de transmettre des directives à des personnes qui doivent s'initier à une tâche nouvelle. Vous communiquez aisément avec les gens lorsqu'il faut les orienter dans leur travail. Que ce soit en public ou en privé, vous aimez prendre la parole et faire passer votre message par des explications claires. À cet égard, votre éloquence naturelle vous sert bien. Fournir des instructions dans le cadre d'un programme de formation peut vous permettre d'exprimer un autre aspect de votre tempérament de chef.

Leadership +

Sous une forme ou une autre, vous aimez diriger. Sans nécessairement prendre la tête d'un groupe, vous participez volontiers à son orientation. À défaut d'un poste de commande, une responsabilité de second plan est en effet toute désignée pour répondre à votre désir de prendre part aux décisions de l'autorité. Vous savez recourir à la persuasion en vue d'amener les gens à partager votre avis. Lorsque vos recommandations sont mises en application, vous vous réjouissez alors du rôle important que vous avez pu jouer. De telles interventions comblent votre besoin de conduire les autres dans la direction que vous souhaitez. Vous avez tendance à affirmer vos convictions avec force et enthousiasme. Guider ou enseigner sont des activités susceptibles de satisfaire votre goût du leadership. Directement ou de façon subtile, vous cherchez à avoir de l'influence sur votre entourage.

Leadership =

Diriger, persuader ou superviser sont autant de manifestations du leadership qui ne vous attirent pas particulièrement. Vous n'avez de penchant marqué ni pour le commandement ni pour la soumission.

Leadership –

Quelle qu'en soit la forme, l'exercice de l'autorité vous déplaît. Un poste clé où il faut donner des ordres n'a pour vous rien d'attrayant; vous préférez être membre d'un groupe plutôt que d'en être le chef. Vous n'osez ni imposer votre point de vue ni faire partager vos opinions par la persuasion. Au lieu de prodiguer des conseils, vous vous contentez de vous occuper de vos affaires. Les fonctions de supervision où l'on doit orienter et instruire les gens ne soulèvent chez vous aucun intérêt. Vous êtes mal à l'aise lorsqu'il faut prendre les choses en main et émettre des directives. Aux postes importants, vous préférez les tâches modestes où vous n'êtes responsable de personne. Le rôle de leader ne vous convient pas.

Leadership – –

L'exercice de l'autorité n'est pas fait pour vous: il vous répugne profondément. Si on vous proposait de prendre la tête d'un groupe ou d'un mouvement, votre réponse serait négative car vous détestez vous imposer. S'il faut offrir ses services pour coordonner un projet, c'est avec soulagement que vous en laissez la responsabilité à quelqu'un d'autre. Ce genre d'initiative est incompatible avec votre caractère effacé: vous êtes mal à l'aise dans un rôle de premier plan. La supervision de nombreux subalternes serait pour vous un lourd fardeau. Au lieu de prendre les commandes, vous préférez demeurer dans l'ombre. Faire triompher vos idées est la dernière de vos préoccupations. Vos opinions vous sont personnelles et vous ne cherchez pas à les faire partager. Vous ne tenez tout simplement pas à convaincre. Un poste clé où il faut former du personnel et transmettre des instructions vous déplaît tout autant. Vous restez loin des fonctions influentes qui donnent du pouvoir mais entraînent des obligations. Vous ne voulez pas indiquer aux gens la voie à suivre et les conduire à destination; ils n'ont qu'à s'orienter eux-mêmes ou à se soumettre comme vous aux directives d'une autre personne. L'obéissance vous est plus naturelle que le commandement. Vous refusez absolument d'exercer quelque domination que ce soit. Vous avez depuis longtemps renoncé à toute forme de leadership.

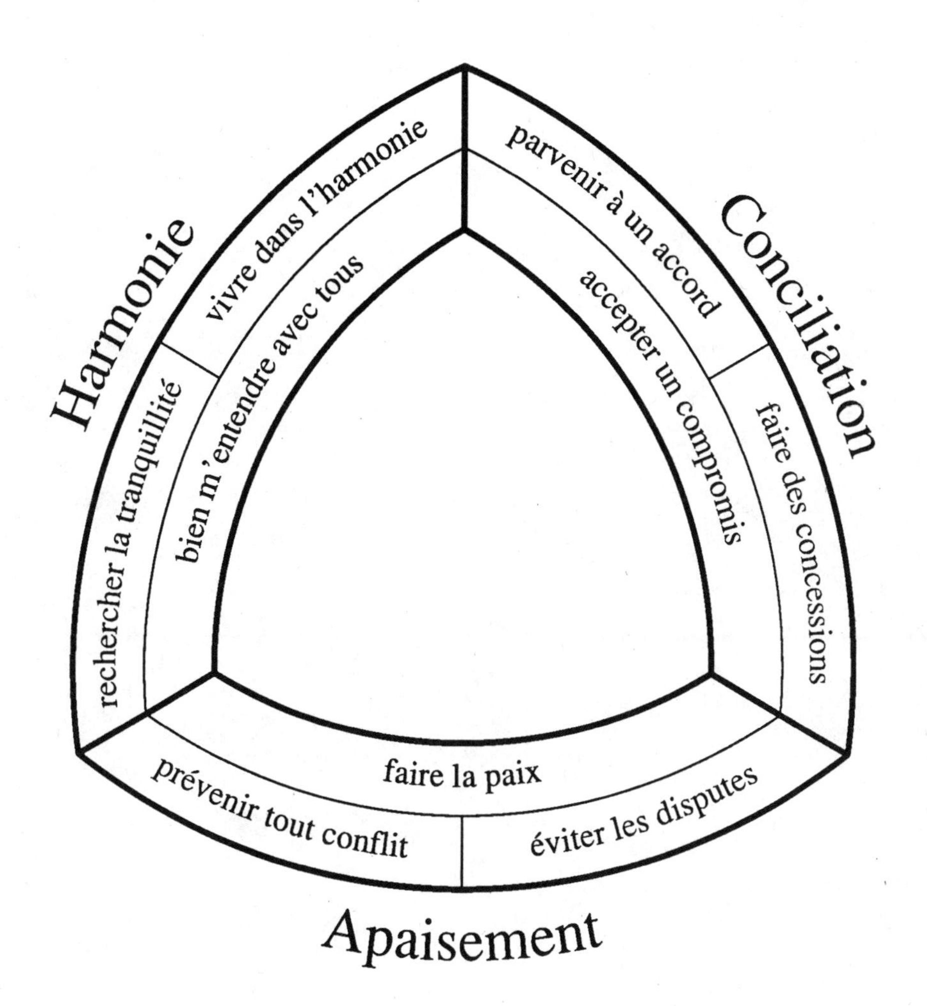
Harmonie
vivre dans l'harmonie
bien m'entendre avec tous
rechercher la tranquillité
Conciliation
parvenir à un accord
accepter un compromis
faire des concessions
faire la paix
prévenir tout conflit
éviter les disputes
Apaisement

Pacifisme

Pacifisme ++

Toute manifestation d'agressivité vous est insupportable. Le climat malsain qu'entraîne une mésentente vous empoisonne l'existence. Lorsqu'un conflit éclate, vous avez à cœur d'alléger l'atmosphère et de mettre fin aux hostilités. Ce n'est certes pas vous qui jetteriez de l'huile sur le feu pour attiser la discorde. Au contraire, vous vous efforcez d'éviter toute querelle qui risque de dégénérer en guerre ouverte. Si on vous offense, vous demeurez imperturbable sans chercher à répliquer: vous vous réfugiez sagement dans le silence. Hausser le ton est tout à fait contraire à votre réserve habituelle. Votre calme désarmant apaise la tempête qui gronde. Il vous arrive de pousser la patience jusqu'à la résignation.

En société, vous savez faire preuve de diplomatie. Par esprit de conciliation, vous vous empressez de multiplier les compromis afin d'en arriver sans délai à un accord durable. Les règlements à l'amiable vous semblent nettement préférables aux négociations tendues dont l'enjeu doit être âprement disputé. Vous avez en effet tendance à conclure une transaction sans marchander car il vous est difficile de vous montrer coriace en imposant vos conditions. De guerre lasse, vous laissez l'autre l'emporter plutôt que de lui tenir tête. En y mettant un peu d'insistance, on peut ainsi vous arracher de nombreuses concessions. Votre caractère accommodant vous permet de mettre beaucoup d'eau dans votre vin. Avec vous, il y a toujours moyen de s'arranger.

Un de vos rêves les plus chers serait de rester en bons termes avec tout le monde afin de mener une vie tranquille. Vous êtes une personne facile à vivre qui fait tout pour favoriser une atmosphère de bon voisinage. Dans vos relations avec les gens, vous évitez de rompre l'équilibre délicat de la bonne entente. En retour, vous détestez qu'on vienne troubler votre sérénité par des scènes de colère. Vous aimez l'humeur égale des gens discrets qui, comme vous, s'intègrent en souplesse à leur entourage. L'harmonie des rapports humains compte beaucoup pour vous. Dans un milieu où tous les êtres vivent à l'unisson, vous êtes dans votre élément. Rien ne vous plaît autant qu'un climat social où règne une douce complicité. Ce que vous désirez par-dessus tout, c'est vivre en paix.

Pacifisme +

Vous aimez vous sentir en harmonie avec votre entourage; les manifestations d'hostilité vous mettent dans l'embarras. C'est pourquoi vous fuyez la compagnie des gens agressifs. Ce besoin de tranquillité vous amène à user de patience en vue de favoriser un climat serein. Grâce à votre esprit conciliant, vous êtes capable de faire des concessions pour alléger une atmosphère tendue qui menace de provoquer un conflit. Vous avez à cœur d'être en bons termes avec tout le monde. Votre souplesse de caractère vous permet de ménager les sensibilités délicates. Vous évitez habilement les paroles désobligeantes qui risqueraient d'envenimer une dispute. Conservant votre calme, vous savez trouver les mots qui apaisent. La bonne entente vous paraît de beaucoup préférable à l'affrontement. Vous acceptez bien des compromis pour sauvegarder la paix.

Pacifisme =

La recherche de la paix à tout prix n'est pas pour vous une priorité. En situation de conflit, vous usez de diplomatie sans toutefois céder sur l'essentiel. Vous êtes favorable à une entente fondée sur des compromis acceptables pour les deux parties.

Pacifisme –

Vous n'acceptez pas n'importe quelle condition pour vivre en paix avec les autres. Selon vous, lorsqu'on recherche à tout prix la bonne entente, on risque de faire de coûteuses concessions. À cause de votre caractère peu enclin aux compromis, il vous semble inopportun de clore un débat en escamotant l'essentiel. Vous ne mettez pas volontiers les gants blancs de la diplomatie pour transiger avec vos proches. L'harmonie des rapports humains est une valeur que vous respectez mais pour laquelle vous ne voulez pas tout sacrifier. Vous admettez que certains désaccords sont inévitables. Si on vous déclare la guerre, vous refusez de conclure à la hâte un accord qui vous défavoriserait. Vous pouvez négocier à l'amiable, pourvu qu'on respecte les limites de votre patience.

Pacifisme – –

Vivre en harmonie avec votre entourage est la moindre de vos préoccupations. Si les circonstances vous y obligent, vous pouvez supporter un désaccord temporaire ou, s'il le faut, un conflit permanent. Il est contraire à vos principes de faire toutes les concessions dans le seul but de sauvegarder un climat artificiel de bonne entente. La crainte de représailles ne vous fera pas taire vos griefs pour préserver l'harmonie. Le seuil de votre patience est vite franchi. Dans les situations extrêmement tendues, vous ne visez pas du tout à remporter la palme de la diplomatie. Ce n'est pas vous qui prenez les devants pour entamer des négociations de paix lorsque les hostilités sont ouvertes. Il serait vain d'espérer de vous une capitulation sans condition: votre caractère intransigeant s'y oppose catégoriquement. Même si vous savez que toute réconciliation se construit à deux, vous préférez néanmoins attendre que l'autre fasse les premiers pas. Lorsqu'il y a rapport de forces, vous aimez l'emporter et contraindre l'adversaire à battre en retraite. Plier l'échine représente à vos yeux un geste de faiblesse. C'est donc à l'autre qu'incombe l'initiative de hisser le drapeau blanc pour demander la paix.

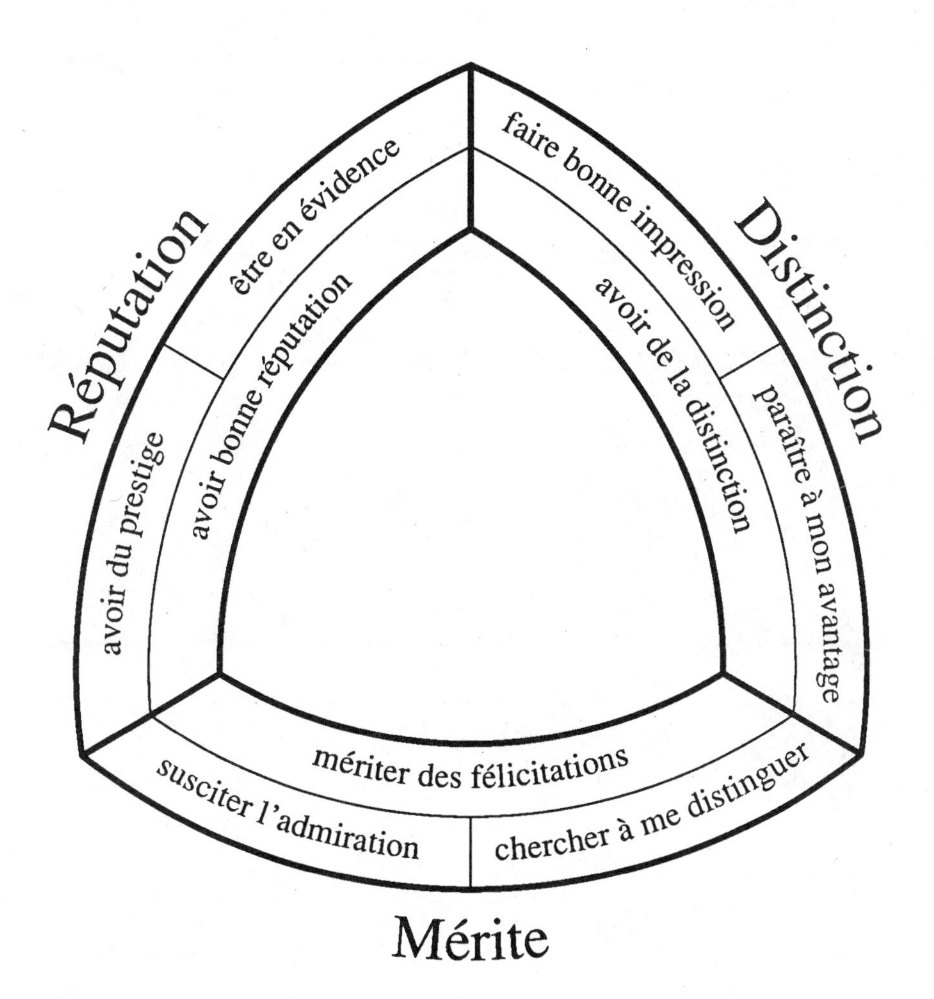

Mérite

Fierté

Fierté + +

L'image que vous projetez sur le plan social vous tient vraiment à cœur. Vous prenez bien soin qu'on vous apprécie à tous points de vue et qu'on porte sur vous un jugement favorable. Voir votre réputation ternie serait une terrible atteinte à votre dignité. Pour un caractère fier comme le vôtre, il n'y a pas pire blessure que l'humiliation ou le mépris. Il vous serait insupportable de perdre la face au vu et au su de tous. Il y va de votre honneur devant l'opinion publique. Être le point de mire vous enchante car vous accueillez volontiers les marques de prestige. La renommée comblerait votre désir de monter dans l'échelle sociale. Chose certaine, l'anonymat n'a rien pour vous séduire. Vous tenez à l'estime qu'on vous porte comme à la prunelle de vos yeux.

Vous attachez beaucoup d'importance à l'impression que vous dégagez autour de vous. C'est pourquoi vous apportez un soin si particulier à votre façon de vous présenter. Il vous fait plaisir de vous signaler par l'élégance de votre tenue ou la qualité de votre langage. En général, vous aimez avoir fière allure et plaire aux gens. Votre style raffiné ne tolère aucune vulgarité dans les manières. Vous ne vous contentez pas seulement d'avoir l'air convenable; par tous les moyens, vous cherchez à paraître à votre avantage. Vous avez instinctivement conscience de l'effet que vous produisez. Le désir de faire bonne figure ne vous quitte jamais. Votre sens du spectacle vous prédispose à capter l'attention. En toute circonstance, vous tenez à vous montrer digne d'intérêt et de respect.

Il n'est donc pas étonnant que vous soyez si sensible aux félicitations et aux applaudissements. Ces hommages flattent votre amour-propre sensible aux témoignages d'appréciation. Les louanges vous gonflent de fierté car vous adorez les signes extérieurs de popularité. Peut-être vous arrive-t-il parfois de rêver secrètement à la gloire qui auréole les vedettes. Vous aimez qu'on vous trouve agréable, qu'on soit satisfait de vous et qu'on vous témoigne une grande considération. En somme, vous désirez qu'on vous accepte sans restriction, qu'on vous admire à tous égards et qu'on vous l'exprime en termes élogieux. Vous éprouvez l'irrésistible besoin de briller et de faire la conquête des autres.

Fierté +

La fierté qui vous habite vous porte à accorder de l'importance à la perception qu'on a de vous. Ce désir de paraître à votre avantage vous incite à vous préoccuper de l'impression générale que vous produisez. Il vous est agréable d'attirer l'attention et de susciter l'admiration. Les compliments qu'on vous adresse vous remplissent de contentement. Votre sens du raffinement vous fait rechercher les mots susceptibles d'impressionner et de charmer. Ce besoin de plaire et de mériter l'estime des gens affecte votre comportement en public. L'estime qu'on vous porte vous est précieuse. Voilà pourquoi vous tenez compte de ce qu'on dit et pense de votre personne. Votre réputation est un de vos biens les plus chers.

Fierté =

Vous cultivez avec modération le goût de plaire et de bien paraître. En ce qui concerne votre image sociale, il n'y a chez vous ni préoccupation exagérée ni insouciance flagrante. Vous soignez votre réputation comme la majorité des gens.

Fierté −

Vous faites peu de cas de ce qu'on pense de vous. Votre conduite se fonde sur des critères qui n'ont rien à voir avec l'opinion publique. Quoi qu'on puisse colporter à votre sujet, vous traitez le qu'en-dira-t-on avec indifférence. Votre réputation ne vous tracasse pas outre mesure. Comme vous êtes d'un naturel modeste, vous attachez peu d'importance aux bruits qui peuvent courir sur votre compte. Vous n'éprouvez pas le besoin de vous distinguer des autres et d'attirer l'attention sur votre personne. Sans dédaigner la renommée et les applaudissements, vous ne faites aucun effort pour les mériter: ces marques d'honneur ne vous sont pas nécessaires. Vous n'aspirez pas à vous mettre en évidence; l'anonymat vous convient davantage. En fait, vous évitez le plus possible de vous faire remarquer. Votre grande simplicité vous incline à adopter un style de vie sans prétention.

Fierté – –

Comme vous n'avez pas tendance à vous interroger sur l'estime qu'on vous porte, votre réputation ne vous cause aucun ennui. Vous vous souciez très peu de ce qu'on pense de vous. En effet, votre modestie ne vous incite pas à vous préoccuper de l'image que vous projetez sur le plan social. Vouloir plaire à tout prix vous paraît bien inutile. Ce serait heurter votre humilité que d'attirer l'attention sur votre personne. Le désir d'épater ne vous effleure même pas l'esprit; au contraire, vous détestez vous faire remarquer. Un habillement d'une élégance recherchée choquerait votre retenue. Votre caractère réservé vous empêche de jeter de la poudre aux yeux: vous n'aimez pas éblouir. De plus, vous méprisez les honneurs. La popularité ne figure certes pas en tête de vos objectifs car votre fierté personnelle ne se nourrit ni d'éloges ni d'applaudissements. Les compliments excessifs qui frisent la flatterie vous agacent. Votre système de valeurs bannit toute envie de prestige. En société, vous savez conserver votre naturel sans chercher à jouer un rôle dans le but de créer bonne impression. Vous laissez les gens découvrir qui vous êtes. Chez vous, il n'y a nulle trace de prétention mais plutôt une grande simplicité. Vous adoptez en douceur le profil effacé des gens discrets.

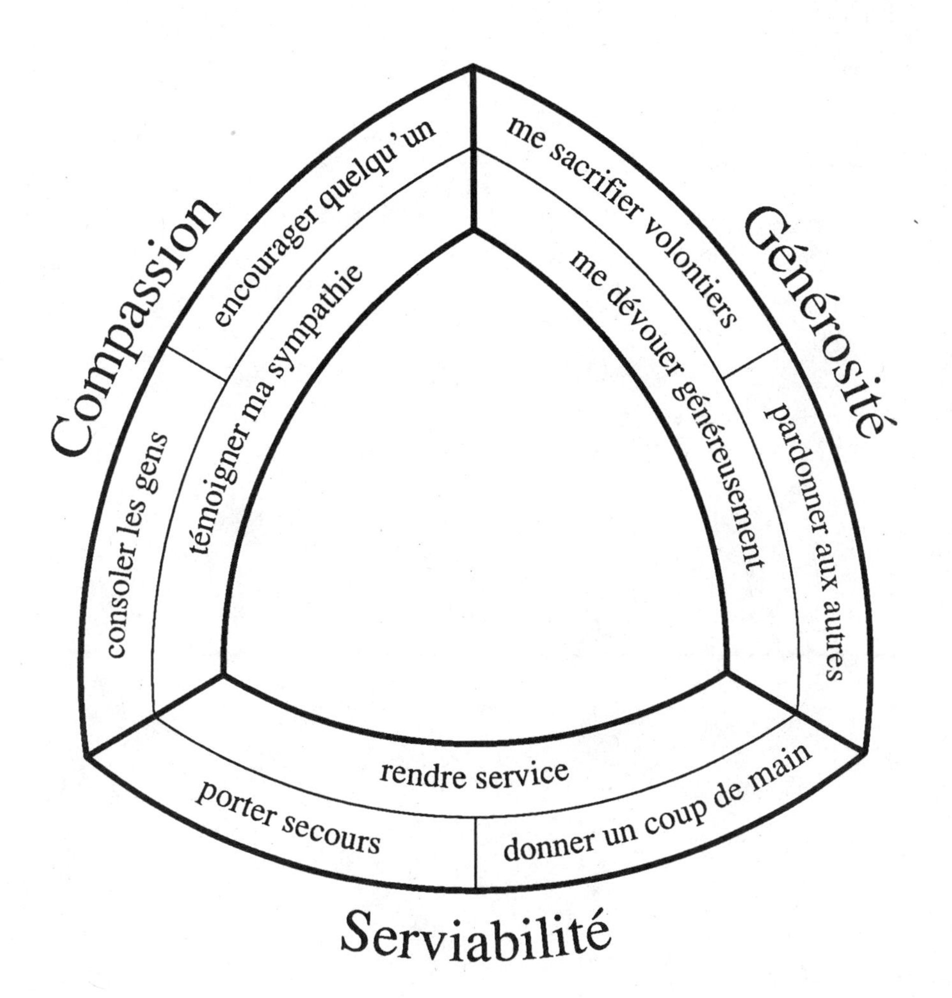

Sollicitude

Sollicitude + +

Par votre accueil plein de compréhension, vous attirez les confidences les plus intimes. Vous êtes sensible aux souffrances des gens qui viennent vous exposer leurs problèmes. Vous avez l'art de les écouter de façon chaleureuse et de leur apporter votre soutien moral. Vous savez exprimer du fond du cœur les sentiments qui redonnent de l'espoir. Vos paroles de consolation réconfortent les âmes meurtries par l'épreuve. À votre contact, les larmes sèchent et font place au sourire. Grâce à votre écoute sympathique, les chagrins s'apaisent et les soucis s'envolent. Pour plusieurs, vous êtes une source rafraîchissante d'encouragement.

Un grand esprit de sacrifice vous pousse à vous dévouer auprès des plus démunis. La pauvreté vous attriste et vous bouleverse; votre bonté devient alors charité. Loin d'être hautaine, votre pitié a la profondeur du don de soi. Vous êtes en effet capable de payer de votre personne dans le but d'alléger la misère humaine. Au chevet des malades, vous posez tout naturellement les gestes qui soulagent. Votre grandeur d'âme se manifeste également par votre attitude à l'égard des gens qui vous ont causé du tort. Oubliant l'offense, vous passez l'éponge avec indulgence plutôt que d'en garder rancune. Le pardon que vous accordez est d'une telle sincérité qu'il rétablit l'harmonie. Votre générosité est sans bornes: votre cœur tendre ne demande qu'à donner.

L'immense sollicitude avec laquelle vous traitez les gens est devenue chez vous une seconde nature. Vous acceptez de vous donner de la peine pour tirer quelqu'un d'embarras. Toute demande d'assistance trouve auprès de vous une réponse bienveillante. Les personnes en difficulté n'ont même pas à signaler leurs besoins pour obtenir votre concours: vous vous portez spontanément au-devant d'elles pour leur offrir vos bons offices. Rien ne vous tient plus à cœur que de rendre service: un appel au secours vous fait accourir aussitôt. On peut toujours compter sur vous pour recevoir un coup de main. Vous savez aider sans rien attendre en retour. Votre serviabilité de tous les instants fait le bonheur de bien des gens.

Sollicitude +

Votre empressement à venir en aide aux plus démunis révèle une grande générosité. Vous consentez à donner de votre temps ou de votre argent pour soutenir une juste cause. Votre nature serviable vous pousse à prêter main-forte aux gens qui ont besoin d'assistance. Les personnes en difficulté peuvent compter sur vous pour recevoir du réconfort car vous êtes sensible à leurs malheurs. Vous aimez remonter le moral des êtres souffrants. Devant les âmes en détresse, vous savez trouver les mots de sympathie qui consolent et redonnent courage. Si les circonstances l'exigent, vous êtes capable de vous sacrifier pour les autres. Votre esprit de renoncement se manifeste aussi par votre facilité à pardonner. Oubliant le tort causé, vous tournez la page avec sérénité. Vous faites preuve d'une sollicitude qui réchauffe les cœurs.

Sollicitude =

Pour ce qui est de la compassion, de la générosité ou de la serviabilité, votre bienveillance se situe dans la moyenne. Vous êtes capable de sympathiser, de vous dévouer et de prêter assistance sans tomber dans l'apitoiement.

Sollicitude −

Vous n'éprouvez aucun empressement particulier à soulager la misère des autres. Il est peu probable qu'on vous voie accourir au-devant des gens pour les tirer d'embarras. Chaque fois qu'on fait appel à votre bonté, vous vous assurez d'appuyer une cause qui en vaut la peine. Vous avez du cœur mais il ne faut pas en abuser: la bienveillance n'est pas pour vous synonyme de charité aveugle. Votre générosité mesurée s'exprime autrement que dans les bonnes œuvres et les soins de santé. La consolation des affligés n'est sûrement pas votre spécialité. Pour les concerts de lamentations, on peut trouver meilleur public que vous; il faut donc chercher ailleurs une oreille plus compatissante. Vous savez éviter les pièges de la naïveté en faisant preuve d'un dévouement raisonnable.

Sollicitude – –

Lorsque vous donnez, c'est en connaissance de cause: vous voulez savoir à quoi servira votre offrande. Une main tendue qui sollicite votre bonté peut fort bien recevoir une réponse négative car votre générosité n'opère pas de façon automatique. Vous n'êtes pas du genre à vous laisser dépouiller pour assurer le confort des opportunistes. C'est avec discernement que vous ouvrez votre cœur et votre bourse. Il vous arrive à l'occasion de dépanner des gens dans le besoin, mais à condition qu'ils ne prennent pas la mauvaise habitude de toujours compter sur vous. Vous avez pour principe qu'il faut se suffire à soi-même. Vous répugnez à exploiter la sympathie des autres et vous appréciez qu'on fasse preuve de la même décence à votre endroit. Un appel au secours ne doit vous être lancé qu'en cas d'extrême urgence. Vous évitez les individus qui passent le plus clair de leur temps à quémander ou à se lamenter. On ne vient pas spontanément pleurer sur votre épaule car vous n'attirez pas les confidences des gens déprimés en quête de réconfort. Vous n'avez en effet aucun talent particulier pour les courriers du cœur. Devant des êtres souffrants qui requièrent des soins, vous êtes mal à l'aise. Veiller au chevet d'une personne malade exige une forme de dévouement qui vous embarrasse: vous n'êtes pas du tout dans votre élément. Ce n'est sûrement pas dans les œuvres de bienfaisance que vous trouvez votre épanouissement. Votre humanité a ses limites.

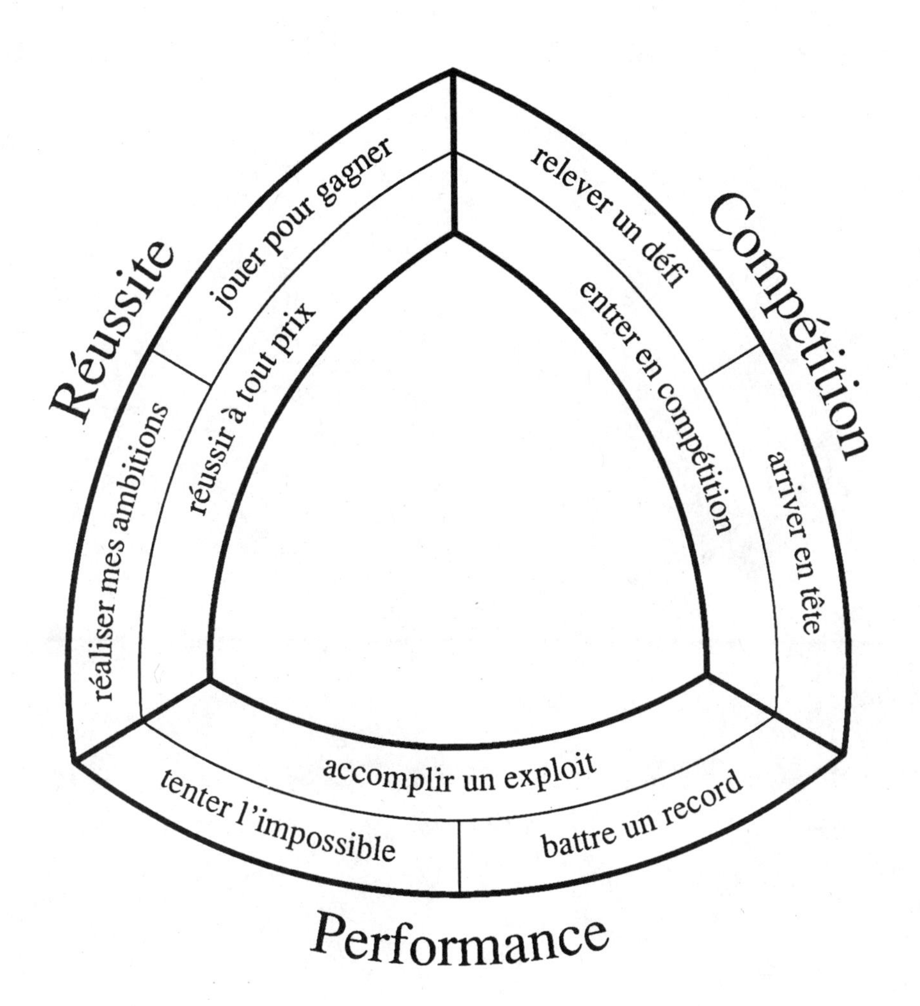
Réussite
jouer pour gagner
réussir à tout prix
réaliser mes ambitions
Compétition
relever un défi
entrer en compétition
arriver en tête
Performance
accomplir un exploit
tenter l'impossible
battre un record

Ambition

Ambition + +

Votre motivation repose sur une ambition sans bornes. À vos yeux, nul objectif n'est trop élevé pour être atteint. Maîtriser une discipline à la perfection est à la mesure de vos aspirations. Vous pouvez déployer beaucoup d'efforts à vous exercer en vue d'améliorer votre rendement. Vous êtes avide des plus grandes réussites et vous croyez en vos moyens pour y arriver. Il vous faut triompher des difficultés et gagner la partie à tout prix. Par contre, un cuisant revers risque de prendre à vos yeux les proportions d'un désastre que vous ne sauriez accepter. Vous refusez obstinément d'encaisser la défaite. L'adversité ravive votre ardeur et vous pousse irrésistiblement vers de nouveaux succès.

La rivalité vous stimule: une compétition serrée vous fait donner le meilleur de vous-même. Dans la vie comme dans le sport, vous êtes favorable à une saine concurrence. Plus l'adversaire est redoutable, plus vous y mettez d'acharnement. La victoire vous semble d'autant plus douce à savourer qu'elle a été âprement disputée. Tout défi même démesuré éveille en vous la soif de gagner. Comme vous aimez viser haut, vous ne convoitez rien de moins que la première place. Seul un triomphe est digne de couronner vos efforts. En remportant la palme, vous concrétisez un de vos espoirs les plus chers. Vous brûlez d'un intense désir de vaincre.

Vous avez le culte de la performance et le goût des trophées. La perspective de réaliser un exploit vous remplit d'enthousiasme et décuple vos forces. Si les circonstances l'exigent, vous êtes en effet capable de bravoure devant le danger. Ce cran vous fait rechercher l'excellence dans tout ce que vous entreprenez. Faute d'opposition, c'est vous-même que vous chercherez à dépasser. Selon vous, on peut toujours battre un record si on s'y attaque avec la solide conviction qu'on peut y parvenir. Ce dont vous rêvez, c'est d'accomplir une prouesse en faisant preuve d'un courage exceptionnel. L'inaccessible vous fascine: vous aimeriez repousser les limites de l'impossible. Votre idéal est très haut placé: il a l'altitude des sommets à conquérir.

Ambition +

Le succès symbolise pour vous une valeur précieuse. Vous êtes capable de fournir de sérieux efforts pour maîtriser une discipline. La recherche de l'excellence joue un rôle important dans votre vie: les défis vous stimulent. Une vive concurrence vous permet de donner le meilleur de vous-même. Que vous affrontiez un obstacle ou un adversaire, vous avez le même désir de vaincre. Lorsque vous participez à un concours, vous convoitez un des premiers prix. Il peut vous arriver de relever un défi qui exige du cran. Vous admirez l'audace des gens qui brillent par leurs exploits. Selon vous, si on s'en donne la peine, on peut atteindre un objectif élevé. C'est pourquoi vous acceptez de vous imposer des sacrifices pour réussir. Vous savez mettre vos ressources au service de votre ambition.

Ambition =

Décrocher le premier prix, surclasser l'adversaire, accomplir un exploit, voilà d'ambitieux objectifs qui ne comptent pas parmi vos priorités même si vous les respectez chez les autres. Face au succès, vos aspirations sont modérées.

Ambition -

Ce n'est pas l'ambition qui dicte la conduite de votre vie. Comme les idéaux inaccessibles sont exclus de vos objectifs, vous vous préoccupez peu d'exceller pourvu que votre rendement soit satisfaisant. Il vous répugne d'affronter des adversaires dans le seul but de les vaincre car le jeu de la concurrence ne vous amuse pas. Quand vous jouez, c'est plus pour vous détendre que pour gagner. Dans votre échelle de valeurs, la réussite est loin d'occuper le premier rang. Vous ne ressentez donc pas le besoin de vous illustrer en accomplissant un exploit. Les défis à relever et les records à battre font appel à des aspirations qui vous sont étrangères. Un succès triomphal n'ajouterait rien à votre qualité de vie. Pour vous épanouir, vous ne voyez pas la nécessité de vous signaler de façon exceptionnelle. Vos ambitions sont modestes.

Ambition – –

Au lieu de vous laisser tenter par l'attrait de la réussite, vous préférez vous limiter sagement à des objectifs raisonnables. Le culte de la performance repose sur un système de valeurs que vous désapprouvez. Médailles et trophées sont des appâts dont l'effet sur vous est absolument nul. Vous ne trouvez aucun stimulant dans la concurrence; au contraire, la rivalité vous inspire un profond dégoût. Une participation à un concours en vue de remporter la palme ne vous intéresse pas du tout. Relever un défi, battre un record ou atteindre l'excellence représentent, selon vous, les principes individualistes d'une société de compétition. Pour votre part, vous voulez tout simplement obtenir une place au soleil sans avoir à la disputer. Les succès retentissants n'excitent pas votre convoitise; vos rêves ne sont habités d'aucune prouesse extraordinaire. La prudence vous éloigne de toute expérience téméraire qui risquerait de se solder par un échec. Vos aspirations modestes vous protègent contre les inconséquences d'une ambition démesurée.

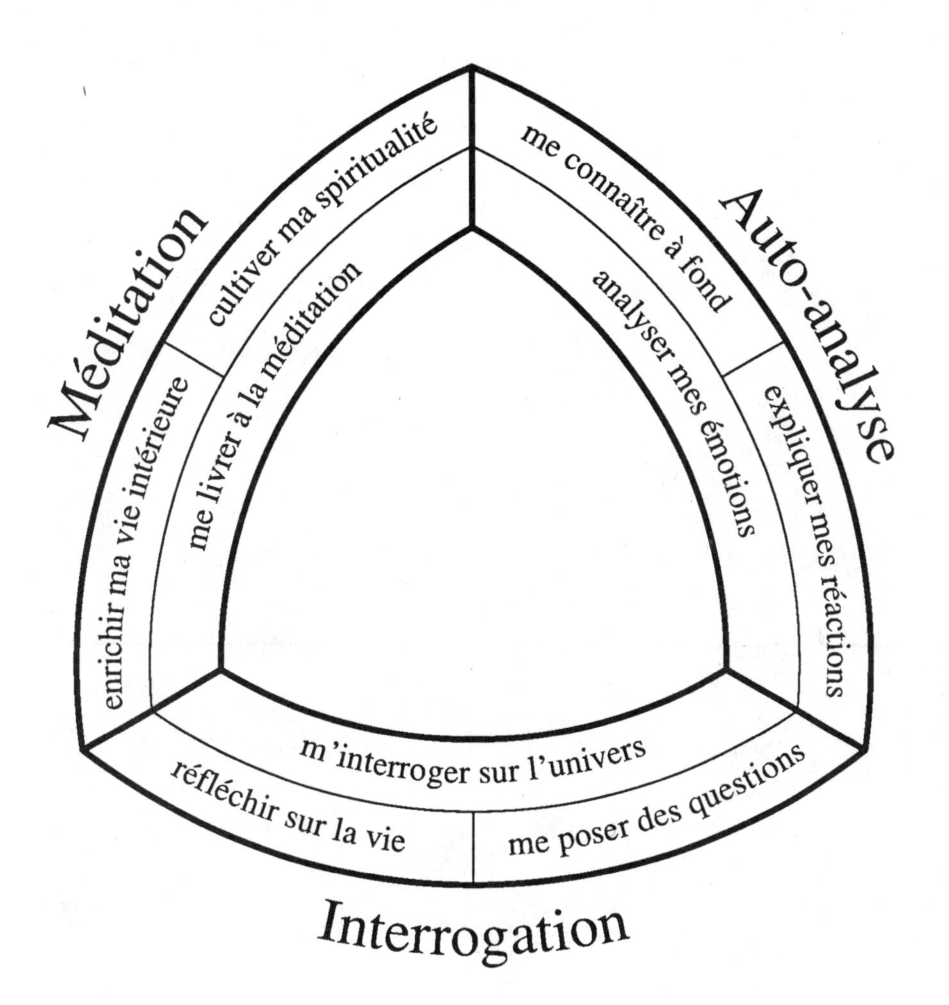

Introspection

Introspection + +

Vous aimez vous plonger dans une profonde introspection pour prendre contact avec votre moi intime. Ce goût de la réflexion vous amène à vous isoler du monde extérieur pour mieux vous recueillir et scruter les mystères qui vous habitent. La méditation est un de vos refuges de prédilection: elle vous permet de laisser flotter vos pensées au gré de votre fantaisie ou d'étudier à votre aise une question précise. À l'abri de toute distraction, vous tenez à profiter du silence pour converser avec vous-même. Votre penchant pour les choses spirituelles vous incline à tout voir avec les yeux de l'âme. Vous êtes à l'écoute de l'inspiration qui surgit du fond de l'être. Votre vie intérieure est intense.

Vous trouvez important de jeter un regard lucide sur votre personne pour en discerner les motivations véritables. Le fonctionnement de votre personnalité suscite chez vous beaucoup d'intérêt. Vous tenez à bien saisir les mobiles qui vous poussent à agir. C'est pourquoi vous vous livrez sans cesse à l'analyse de vos émotions. Votre monde intérieur, vous l'explorez à fond afin d'en connaître tous les recoins. Vous aimez prendre le temps de faire le point sur votre vie. Vous avez conscience que votre univers psychologique vous réserve de passionnantes découvertes. Voilà pourquoi vous cherchez à en savoir toujours davantage sur vous-même.

Les grands problèmes de l'existence piquent votre curiosité. Le monde qui vous entoure vous interpelle de mille manières et éveille en vous le goût de la contemplation. À la recherche de l'essentiel, votre esprit s'interroge constamment. C'est à l'intérieur des êtres que vous voulez pénétrer afin d'en saisir la vraie nature. L'aspect visible des choses vous semble trompeur; vous désirez aller au-delà des apparences pour pénétrer le sens caché de la vie. Vous aimez vous livrer à de longues considérations sur la destinée humaine. À cet égard, vous cherchez les réponses à des questions que vous jugez fondamentales. Sur les chemins de la philosophie, votre pensée voyage sans cesse.

Introspection +

Vous aimez vous recueillir pour réfléchir sérieusement sur le sens de la vie et sur l'orientation de votre existence. Cette tendance à philosopher vous amène à vous poser des questions fondamentales sur votre personne et sur l'univers qui vous entoure. Vous manifestez de l'intérêt pour l'analyse psychologique et les considérations spirituelles. Par une forme de méditation, vous plongez dans les profondeurs de votre moi intime pour le scruter attentivement. En descendant ainsi en vous-même, vous découvrez un monde riche de pensées et d'émotions. L'exploration des mystères de votre âme vous attire. C'est pourquoi vous cherchez à vous retirer dans le silence afin de poursuivre, dans un cadre propice à la réflexion, le dialogue engagé avec vous-même. Vous attachez beaucoup d'importance à votre vie intérieure.

Introspection =

Votre besoin de recueillement pour méditer, philosopher ou vous analyser est comparable à celui de la majorité des gens. Vous vous intéressez modérément à votre vie intérieure tant sur le plan psychologique que sur le plan spirituel.

Introspection -

Vous n'aimez pas entrer en vous-même pour vous livrer à des considérations philosophiques ou psychologiques sur vos états d'âme. Les mystères de l'univers ne vous intriguent pas plus que ceux de votre subconscient. Vous éprouvez peu d'attrait pour la méditation. Vous n'avez nulle envie de vous adonner à des exercices de spiritualité; vous laissez aux mystiques les joies de la contemplation. L'analyse de vos motivations profondes est loin de vous captiver; vous ne voyez pas l'utilité de vous pencher sur vos émotions pour les scruter à la loupe. Votre sens pratique empêche votre esprit de vagabonder dans un monde vaporeux d'idées ou d'impressions. Vos pensées sont centrées non pas sur votre vie intérieure mais sur les réalités quotidiennes qui vous entourent.

Introspection – –

Sur le plan psychologique, l'introspection n'est pas dans vos habitudes: jeter un regard sur vous-même ne vous dit rien du tout. Vous ne sentez pas le besoin de savoir ce qui se cache derrière vos émotions. Vos centres d'intérêt sont très éloignés de ce genre d'examen de conscience qui vous semble d'ailleurs inutile. La recherche spirituelle et la méditation ne risquent donc pas de vous accaparer outre mesure. Vous détestez perdre votre temps à faire le point sur toutes sortes de sujets. Chercher à comprendre l'univers est une démarche qui vous paraît sans issue. Vous vous méfiez des considérations savantes qui veulent tout expliquer. Ces brillantes envolées n'apportent aucune réponse au type de questions que vous vous posez. Pour vous, c'est la réalité bien concrète du monde extérieur qui compte; votre esprit reste résolument tourné vers les problèmes quotidiens. Vous acceptez la vie telle qu'elle est sans vous égarer dans des théories philosophiques. Vous préférez goûter les joies de l'existence plutôt que de gâcher votre plaisir en multipliant les pourquoi et les comment. Vous aimez voir les choses en face et garder les pieds sur terre.

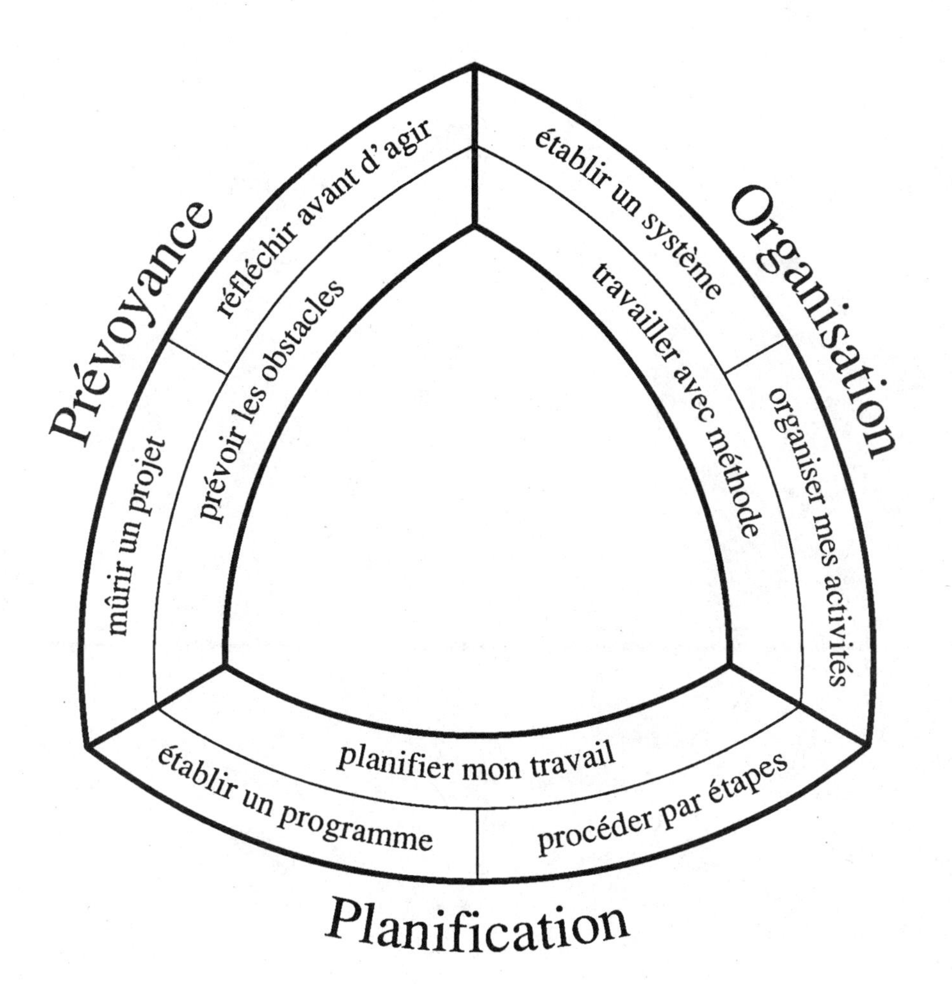
Prévoyance
réfléchir avant d'agir
prévoir les obstacles
mûrir un projet
Organisation
établir un système
travailler avec méthode
organiser mes activités
Planification
planifier mon travail
établir un programme
procéder par étapes

Méthode

Méthode ++

Vous ne prenez une décision qu'après mûre réflexion, en tâchant d'évaluer les répercussions de vos gestes. Il vous faut y penser sérieusement avant d'entreprendre une démarche importante. Vous refusez de vous engager sans analyse préalable, sous le coup d'une simple impulsion. Vous prenez soin d'examiner les diverses alternatives qui s'offrent à vous. Comme vous pensez au lendemain, vous trouvez plus sage de prendre des précautions que de vous lancer à l'aventure. En vous préparant en conséquence, vous mettez toutes les chances de votre côté. Ayant calculé les risques et prévu les obstacles, vous pouvez ainsi faire face à toute éventualité. Peu de choses échappent à votre vigilance. Vous affrontez l'avenir avec prudence et lucidité.

Vous possédez un sens de l'organisation hors de l'ordinaire. Chacune de vos actions obéit à une stratégie rigoureuse. Votre esprit pratique vous incite à vous soucier de productivité. Le gaspillage d'efforts dû à un manque de prévision vous est insupportable. L'à-peu-près vous exaspère; c'est pourquoi vous exigez qu'on procède méthodiquement. Avec une logique implacable, vous aimez vous ingénier à mettre au point des techniques de travail efficaces. Vous savez vraiment vous y prendre pour réaliser vos objectifs. Monter un projet d'envergure est à la mesure de votre intelligence systématique. Vous tenez à réunir tous les éléments d'une question afin d'en obtenir une vue d'ensemble. Face aux problèmes à résoudre, vous avez une approche très rationnelle.

Avec vous, rien n'est laissé au hasard: vous prévoyez le déroulement des événements. Après avoir élaboré un calendrier de travail dans les moindres détails, vous savez mettre en œuvre les moyens appropriés pour le mener à terme. L'établissement et le respect très strict d'un programme d'activités vous paraissent essentiels. Vous n'appréciez donc pas du tout qu'un imprévu vienne bousculer vos plans. Agir avec précipitation est contraire à votre façon de procéder. De fait, si les circonstances vous obligent à improviser, vous êtes vite à court d'idées. Votre discipline de travail vous impose de suivre à la lettre toutes les étapes d'un projet. Vous croyez aux vertus de la planification.

Méthode +

Vous avez un esprit de système et un sens de l'organisation qui vous permettent d'être efficace. Le choix d'une méthode de travail appropriée vous paraît essentiel. Vous aimez déterminer les étapes à suivre en vue de réaliser un projet. Ce penchant pour la planification vous incite à fixer et à respecter un programme de travail. Avant de poser un geste décisif, vous essayez de bien peser le pour et le contre. Vous cherchez à savoir ce que l'avenir vous réserve afin de prendre les dispositions qui s'imposent. Une période de réflexion précède chacune de vos démarches car vous tenez à vous engager en connaissance de cause. Vous n'entreprenez rien à l'aveuglette; l'improvisation vous exaspère. En toute occasion, vous tâchez de faire preuve de prévoyance.

Méthode =

Mûrir une décision, établir un plan, procéder systématiquement, toutes ces composantes de la prévoyance ne sont chez vous ni excessives ni négligées. Vous ne penchez pas davantage pour la préparation à outrance que pour l'improvisation.

Méthode –

Quand un projet requiert beaucoup d'organisation, c'est avec soulagement que vous laissez à d'autres le soin des préparatifs. Vous préférez vous engager sans plan d'action bien défini quitte à improviser une solution d'urgence en cas d'imprévu. L'absence d'échéancier rigide vous accorde une marge de manœuvre qui vous permet d'intervenir rapidement. Vous n'éprouvez pas le besoin de consacrer une longue réflexion à vos décisions: vous suivez d'instinct votre première idée. Vous n'êtes pas le type de personne à respecter systématiquement un horaire de travail: la planification de vos activités vous apparaît superflue. Vous aimez que vos projets d'avenir demeurent vagues afin de pouvoir les modifier suivant les circonstances. Comme vous n'avez en tête aucun programme structuré, il vous est possible de vous adapter avec souplesse.

Méthode – –

Prévoir et organiser s'opposent à votre goût marqué pour l'improvisation. Vous aimez davantage suivre l'inspiration du moment que travailler méthodiquement selon un calendrier rigoureux. Vous n'avez pas le souci de planifier avant d'entreprendre un projet ni de vous interroger longuement avant d'agir. Vous préférez faire face à l'immédiat et régler les problèmes au fur et à mesure qu'ils se présentent. Le lendemain ne fait pas partie de vos préoccupations. Vous vous contentez de vivre au jour le jour sans élaborer de projets d'avenir. Vous ignorez tout ce qui s'appelle horaire et système; ce sont des carcans qui étouffent votre spontanéité. Un emploi du temps flexible convient bien à votre caractère impulsif. Votre sens de la prévoyance est peu développé; par contre, votre souplesse d'intervention vous permet de vous adapter rapidement aux situations les plus imprévisibles. Vous détestez procéder suivant une stratégie rigide. Au contraire, vous préférez réserver une large place à l'imprévu. Vous êtes en effet dans votre élément lorsqu'il faut, en toute hâte, mettre sur pied une activité qui ne figurait pas au programme. Il n'y a pas de risque qu'on vous prenne par surprise puisque, sans rien prévoir, vous vous attendez à tout.

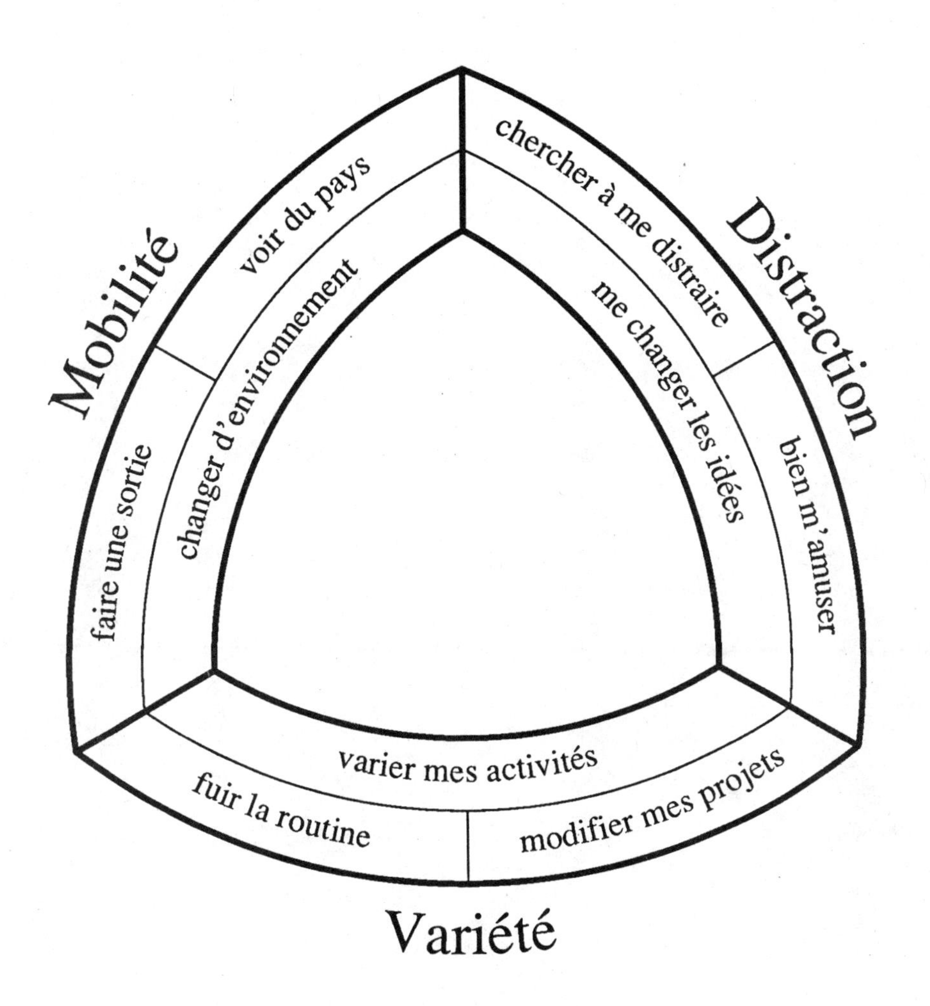
Mobilité
voir du pays
changer d'environnement
faire une sortie
chercher à me distraire
Distraction
me changer les idées
bien m'amuser
varier mes activités
fuir la routine
modifier mes projets
Variété

Changement

Changement ++

Vous aimez changer d'atmosphère, qu'il s'agisse d'une brève promenade ou d'un départ pour l'étranger. Pour plusieurs, le dépaysement est source d'inquiétude; pour vous, c'est une occasion unique de vivre des expériences stimulantes. À vrai dire, vous ne tenez pas en place: il vous faut des sorties fréquentes. Entre quatre murs, vous vous sentez à l'étroit; c'est le plein air qui convient à votre besoin de vastes espaces. Vous avez le goût irrésistible des randonnées et des voyages. En raison de votre grande facilité d'adaptation, vous vous sentez chez vous même à l'étranger. Le mal du pays ne saurait gâcher votre joie d'explorer de nouveaux horizons. Une vie sédentaire ne vous plairait guère car elle limiterait vos déplacements. Vous rêvez constamment d'être ailleurs.

L'ennui est votre ennemi mortel. Vous le chassez dès qu'il menace d'empoisonner votre quotidien. Pour être bien dans votre peau, il vous est nécessaire de lâcher prise en donnant libre cours à votre folle envie de vous changer les idées. Il n'est donc pas étonnant que vous soyez si avide de distractions. Vous avez besoin de vous délasser souvent en vous adonnant à vos loisirs favoris. Ces intermèdes vous permettent de vous détendre dans des activités récréatives essentielles à votre joie de vivre. Vous adorez vous amuser et participer à des réjouissances dans une ambiance de fête. C'est avec la plus vive satisfaction que vous savourez l'agrément des jours de congé et des longues vacances. Vous avez sans contredit l'art de vous donner du bon temps.

La routine journalière vous est insupportable. S'il n'en tenait qu'à vous, tout ce qui est monotone serait à jamais banni de votre vie. Vous refusez de vous laisser enfermer dans le cercle des vieilles habitudes. Cela ne vous dérange pas de chambarder un horaire pour vous engager dans un nouveau projet. Au contraire, vous accueillez cette invitation comme une heureuse occasion de vous sortir de l'ordinaire. Vous éprouvez autant de plaisir à diversifier vos occupations qu'à modifier le décor de votre environnement. Une existence parsemée de fantaisies a tout pour vous séduire. Votre caractère impulsif vous dispose à adopter un rythme de vie où les changements sont fréquents. Avant tout, vous recherchez la variété.

Changement +

Votre besoin de renouvellement vous fait fuir la routine pour rechercher les activités passagères. Il vous faut chasser la monotonie du quotidien par une touche de fantaisie. Ayant horreur de toujours répéter les mêmes gestes, vous accueillez la moindre note de variété comme une distraction salutaire. Vous aimez vous laisser surprendre par l'inattendu: toute visite-surprise est un rayon de soleil. Vous adorez vous amuser dans une atmosphère de franche gaieté. La célébration d'un événement spécial vous fournit l'occasion rêvée de faire la fête. Loin de vous déranger, un déménagement vous procure le plaisir de vivre de nouvelles expériences dans un cadre différent. Le dépaysement qu'apporte un changement de décor vous est très agréable: vous avez le goût des voyages. Vous éprouvez le besoin de sortir et de vous changer les idées.

Changement =

Comme vous n'êtes ni avide de variété ni réfractaire au changement, vous vous contentez d'une dose mesurée de fantaisies, de déplacements et de distractions.

Changement -

Votre résistance au changement vous fait détester tout bouleversement de votre horaire ou de votre environnement. Comme votre routine quotidienne vous procure un sentiment de stabilité, vous vous abstenez le plus possible de briser votre rythme de vie. Le déroulement régulier d'une journée de travail satisfait votre intérêt pour les projets bien structurés. La tranquillité d'une vie réglée vous rassure; c'est l'inattendu qui vous dérange. Aux activités improvisées, vous préférez le parcours familier des sentiers battus. Par tempérament, vous avez tendance à rester chez vous plutôt qu'à visiter des lieux nouveaux. Les changements de décor que constituent les voyages fréquents ne vous sont pas nécessaires. Les parties de plaisir ne vous attirent pas outre mesure; faire la fête n'est pas dans vos habitudes. Un univers sans surprise vous suffit.

Changement – –

Vous êtes réfractaire au changement et détestez voir votre emploi du temps bousculé à l'improviste alors que vous aviez tout organisé. Un style de vie à horaire fixe convient à votre caractère routinier et casanier. Une existence sédentaire qui se déroule sans surprise est faite pour vous plaire. Vous vous passez volontiers des imprévus qui viennent déranger votre programme. Vous savez vous contenter d'une vie tranquille où les divertissements prennent peu de place. Vos activités récréatives n'ont rien d'extravagant; une distraction toute simple suffit à vous détendre. Les sorties fréquentes ne vous sont d'ailleurs pas nécessaires et dérangent votre confort. Les voyages à l'étranger sont des facteurs de dépaysement qui vous rebutent. On peut affirmer que vous n'êtes pas du genre à boucler vos valises à tout instant. Vous avez la prudence de rester en terrain sûr, dans un décor qui vous est familier. Vous refusez toute transformation de votre mode de vie: il vous faut un milieu stable où l'avenir est prévisible. Aux situations inattendues qui vous créent des difficultés d'adaptation, vous préférez le rythme rassurant d'une vie rangée.

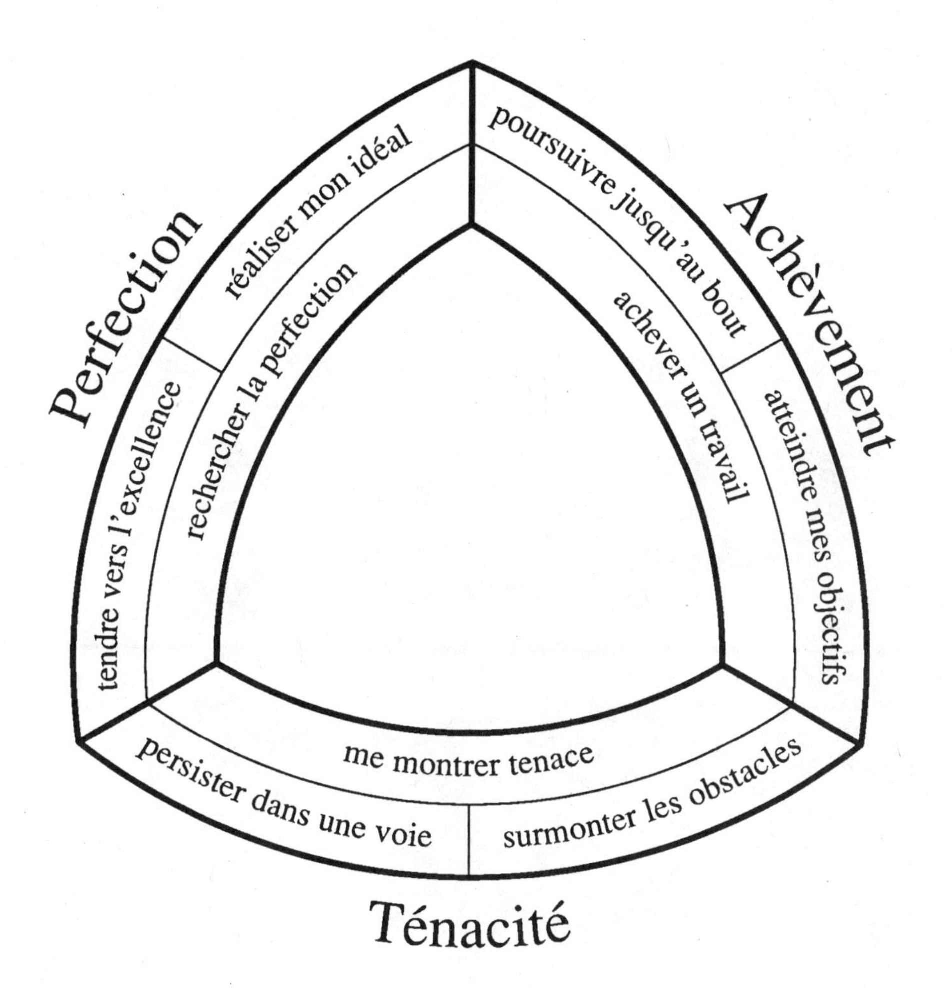

Persévérance

Persévérance + +

Votre perfectionnisme vous incite à respecter des standards de qualité très élevés. Le culte du travail bien fait vous stimule à polir sans relâche l'objet de votre labeur. Avec assiduité, vous savez remettre votre ouvrage plusieurs fois sur le métier. Il vous faut y apporter constamment des améliorations et des retouches jusqu'à ce qu'il soit impeccable. Les exigences que vous vous imposez excluent tout laisser-aller: vous avez horreur d'un travail bâclé. Vous faites toujours le maximum pour que la réalisation d'un projet tende vers la perfection. Lorsque le résultat définitif correspond en tous points à ce que vous aviez en tête, vous pouvez enfin contempler l'œuvre achevée. La poursuite d'un idéal vous invite au dépassement et à l'excellence.

Vous mettez beaucoup d'ardeur à mener à bien vos travaux. Il serait pour vous inconcevable d'abandonner un projet avant son aboutissement. Avec vous, il n'y a pas de demi-mesure: vous avez pour principe de terminer ce qui a été entrepris. Votre persévérance peut même vous empêcher de vous accorder la moindre pause avant d'avoir mis le point final au travail en cours. Vous tenez fermement au respect des échéances que vous vous êtes fixées. Votre esprit décidé vous pousse à poursuivre un objectif avec acharnement jusqu'à sa complète réalisation. Devant un résultat obtenu à force de patience, vous éprouvez la satisfaction de la mission accomplie.

Grâce à votre constance dans l'effort, vous surmontez bien des difficultés pour parvenir à vos fins. Les embûches de toutes sortes ne parviennent pas à freiner votre démarche résolue vers l'objectif visé. Rien ne saurait ébranler votre grande détermination ni miner votre force de caractère. Comme si les problèmes à régler stimulaient votre persévérance, vous savez tenir bon. Malgré les contretemps, vous avez le courage de continuer votre route. Quand vous prenez une résolution, vous la tenez coûte que coûte: vous êtes d'une ténacité à toute épreuve. Cette persistance inébranlable risque de prendre parfois la forme de l'obstination puisque vous refusez systématiquement d'abandonner la partie. Nul obstacle ne semble pouvoir vous arrêter. Vous avez une volonté de fer.

Persévérance +

Lorsque les circonstances l'exigent, vous savez faire preuve de persévérance. Il n'est pas dans vos habitudes de reculer devant une difficulté ou de faire les choses à moitié: vous aimez aller jusqu'au bout malgré les obstacles. Cette détermination vous permet de fournir les efforts qu'impose une démarche de longue haleine. Quand vous entreprenez un projet, c'est avec la ferme intention de le mener à terme. Si la solution d'un problème demande une attention soutenue, vous êtes capable de vous y appliquer sans relâche: les pauses fréquentes ne vous sont pas nécessaires. Le but à atteindre demeure bien présent à votre esprit. Vous avez à cœur de terminer une besogne sans toutefois rien négliger. Votre recherche de la perfection n'a d'égale que votre ténacité.

Persévérance =

Perfectionner un travail, réaliser un objectif ou surmonter un obstacle, voilà des actes de persévérance qui ne vous sont pas habituels même s'ils ne vous rebutent pas. Face aux tâches à terminer, vous ne manifestez ni obstination ni insouciance.

Persévérance –

La persévérance n'est pas votre trait dominant: il vous importe peu d'achever ce que vous avez commencé. Vous avez tendance à abandonner en cours de route un travail qui ne vous captive plus. Vous préférez vous changer les idées pour ensuite revenir à votre occupation première. Votre capacité d'application est durement mise à l'épreuve par les distractions qui affluent de toutes parts. Ces dérangements ont tôt fait de vous éloigner de votre objectif de départ. Votre naturel spontané accorde peu d'importance aux projets qui exigent d'interminables retouches. Quand un résultat vous semble satisfaisant, la recherche de constantes améliorations ne vous passionne guère. Un but lointain ne vous dit rien; à vos yeux, c'est l'effet immédiat qui compte. Vos centres d'intérêt évoluent au gré des circonstances. Vous êtes plus versatile que tenace.

Persévérance – –

Vous préférez exécuter des travaux de courte durée plutôt que des projets de longue haleine difficiles à terminer. Vu leur caractère instantané, les activités passagères vous captivent davantage que les entreprises d'envergure. Vous avez du mal à fixer votre attention sur une seule tâche; la moindre distraction accapare votre esprit et lui fait prendre une nouvelle direction. Il vous est pénible de vous rendre jusqu'au bout d'une démarche et de persister avec acharnement malgré les embûches du parcours. Un problème ardu vous apparaît vite comme une montagne insurmontable; un seul échec peut vous faire perdre courage. La solution qui consiste à tout lâcher a de bonnes chances de l'emporter. C'est donc avec soulagement que vous abandonnerez un projet qui ne vous intéresse plus. Vous n'hésitez aucunement à vous décharger ainsi d'un fardeau devenu trop lourd. Au gré de l'humeur du moment, vous passez d'une occupation à l'autre avec la plus grande versatilité. L'alternance vous convient mieux que la continuité. Voilà pourquoi vous évitez de vous fixer des objectifs dont la réalisation exige beaucoup de patience. Nullement perfectionniste, vous observez des normes de qualité qui s'accommodent d'un résultat satisfaisant même s'il n'est pas idéal. Chez vous, la persévérance se fait si discrète qu'elle laisse tout le champ libre à la spontanéité.

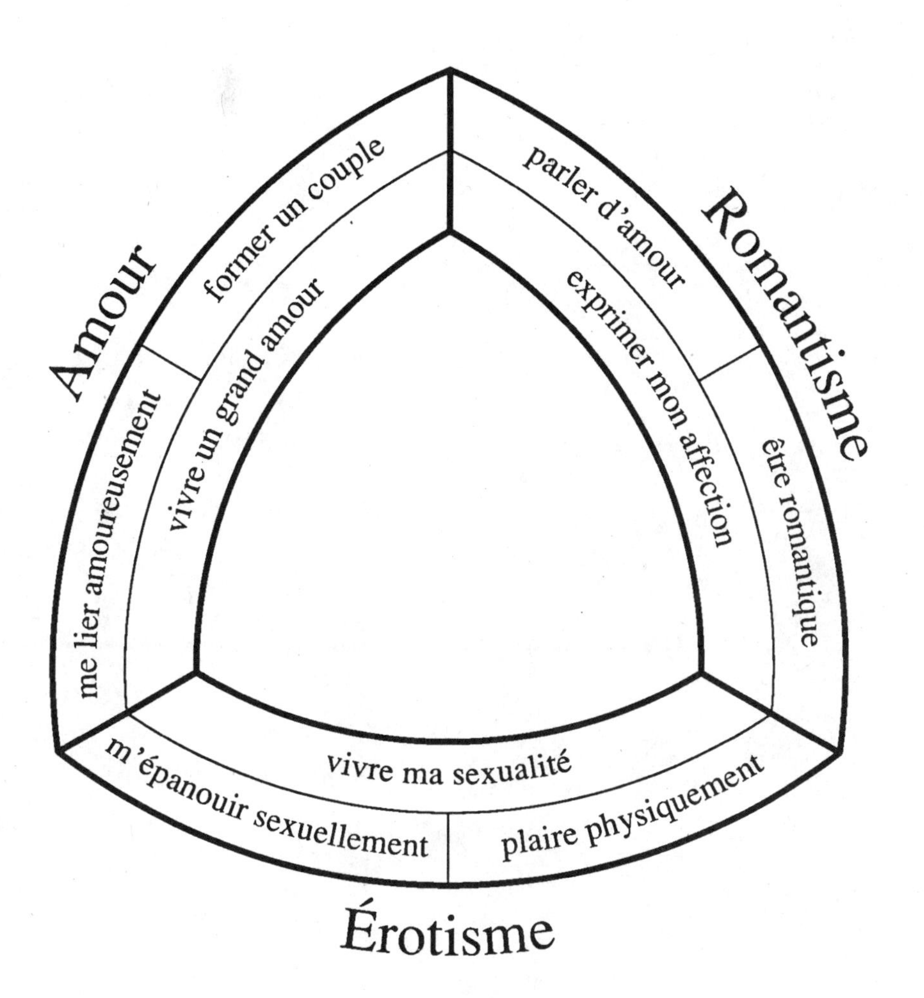
Amour
former un couple
vivre un grand amour
me lier amoureusement
Romantisme
parler d'amour
exprimer mon affection
être romantique
Érotisme
vivre ma sexualité
m'épanouir sexuellement
plaire physiquement

Sexualité

Sexualité + +

L'amour avec un grand A fait vibrer en vous une corde sensible. Le lien qui réunit sous un même toit deux êtres épris l'un de l'autre répond chez vous à un besoin profond. La mise en commun des ressources et le partage des tâches quotidiennes constituent un mode de vie susceptible de vous plaire. À moins que ce ne soit déjà chose faite, l'idée de vivre à deux vous sourit. Vous comptez y trouver la douceur des échanges sentimentaux et le réconfort d'un appui mutuel. Vous appréciez l'amour durable qui unit les cœurs dans l'épreuve et la joie. Pourvu que la complicité amoureuse ait raison des moments difficiles, la vie de couple peut vous apporter la tendresse que vous recherchez.

Faire la cour ou en goûter l'agréable parfum est un exercice galant qui convient à votre tempérament romanesque. Votre cœur palpite à la seule pensée de l'être cher. Les gestes d'affection vous sont inspirés par une émotion à fleur de peau qui ne demande qu'à s'exprimer. Votre âme passionnée aime se laisser bercer par le rythme envoûtant d'une vie romantique. Le sentiment amoureux vous plonge dans des rêves enchanteurs. Vous êtes très vulnérable aux flèches de Cupidon. Vous ne vous lassez pas de faire et refaire la conquête de votre partenaire par une assiduité de tous les instants. Sans nécessairement butiner de fleur en fleur, vous aimez cultiver le jardin de l'amour.

Votre vie amoureuse s'alimente à la source de l'érotisme. Vous êtes sensible au charme que dégage l'être aimé ou à aimer. Que ce soit dans une relation stable ou lors d'une simple aventure passagère, vous prenez plaisir à vous livrer au rituel de la séduction. Votre sensualité très vive est friande des instants de volupté que procure une intense passion. Dans ce but, vous ne ménagez aucun effort pour entretenir la flamme du désir. Les jeux de l'amour vous comblent: dans l'intimité des corps, vous savourez l'ivresse du contact physique et du partage du plaisir. Votre épanouissement sexuel compte parmi vos valeurs les plus précieuses.

Sexualité +

Vous accordez à votre vie sentimentale une attention particulière. Cet intérêt peut se manifester par une tendre complicité dans l'intimité de la vie à deux, par le côté fleur bleue d'une cour romantique ou par la recherche d'une satisfaction sensuelle. Sous l'un ou l'autre de ces aspects, la vie sexuelle représente pour vous une valeur précieuse. Le lien amoureux passager ou durable mobilise une bonne part de vos énergies. Vous aimez faire du charme et créer un climat propice aux échanges sentimentaux. Dans une relation stable ou occasionnelle, vous faites une large part à l'érotisme et au romanesque. Vous attachez de l'importance à l'épanouissement personnel qui harmonise amour et plaisir.

Sexualité =

Vous ne manifestez ni préoccupation exagérée ni désintérêt marqué pour l'amour tendre, les élans romantiques ou les plaisirs érotiques. Dans votre échelle de valeurs, ces aspects de la vie sexuelle se situent dans la moyenne.

Sexualité -

Vous accordez peu d'attention à la vie amoureuse. Sans toutefois la négliger, vous n'en faites pas une priorité; ce qui pourrait signifier que sur ce plan, vous avez déjà trouvé satisfaction. Qu'il s'agisse d'érotisme ou de romantisme, la sexualité n'est pas au centre de vos préoccupations. Les démarches de séduction dans le cadre de la vie de couple ou face à une nouvelle conquête suscitent chez vous peu d'intérêt. Votre épanouissement sexuel exclut les élans passionnés qui inspirent les brûlantes déclarations d'amour. Mots doux et soupirs langoureux sont loin d'encombrer vos échanges sentimentaux. Votre attachement ne se manifeste pas par ce genre de cour romanesque. Dans votre vie sentimentale, vous ne ressentez pas le besoin de vous exprimer par des paroles ardentes et des effusions de tendresse. La manière démonstrative n'est tout simplement pas votre façon de témoigner votre amour.

Sexualité – –

Parmi les valeurs qui vous tiennent à cœur, la sexualité n'est pas au premier rang; ce qui ne veut pas dire que vous la négligiez. Vous n'avez pas l'habitude de vous préoccuper de votre vie sentimentale. Si vous ne vous souciez pas de votre épanouissement sexuel, cela peut très bien signifier que, sur ce plan, vous avez trouvé réponse à vos besoins personnels. En effet, ceux-ci peuvent être satisfaits sans devenir une priorité qui occupe constamment l'esprit. On peut avoir d'autres centres d'intérêt que la vie amoureuse. Vous n'êtes certes pas du genre à vous lancer dans de flamboyantes déclarations d'amour. Ces démonstrations sentimentales sont incompatibles avec votre retenue naturelle. Votre cœur ne tressaille pas d'émotion comme chez les romantiques inspirés par une grande passion. Les manœuvres de séduction d'une cour insistante vous déplaisent; leur aspect enjôleur contraste avec votre façon de traduire vos sentiments. Le flirt vous apparaît peut-être comme un jeu superficiel dont vous méprisez la légèreté et l'inconséquence. Ni les rencontres sans lendemain ni le romantisme à l'eau de rose ne sauraient répondre à vos attentes. Pour vous, l'amour ne se limite pas à un jeu: il doit inclure la tendresse dans la complicité du quotidien.

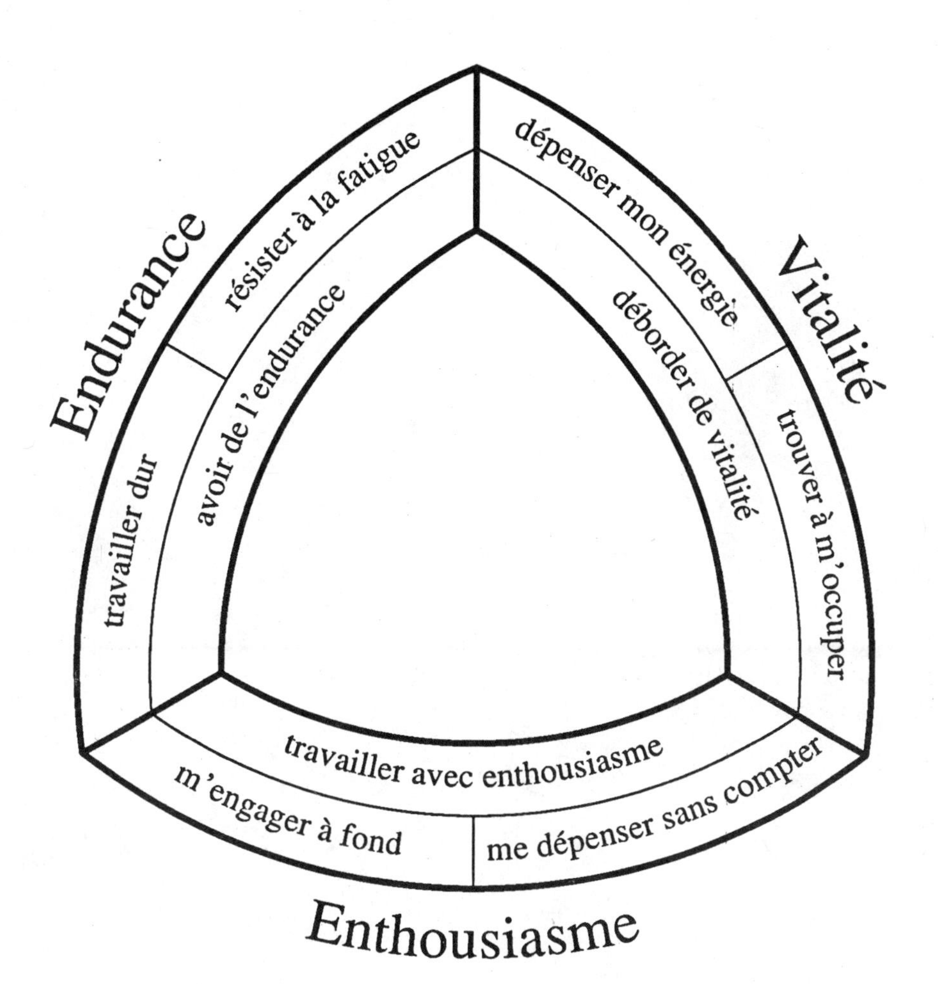
Endurance
résister à la fatigue
avoir de l'endurance
travailler dur
Vitalité
dépenser mon énergie
déborder de vitalité
trouver à m'occuper
travailler avec enthousiasme
m'engager à fond
me dépenser sans compter
Enthousiasme

Énergie

Énergie + +

Vous êtes une véritable force de la nature. S'il y a une dure besogne à abattre, votre grande résistance vous permet de tenir le coup. Vous êtes capable de peiner pendant de longues heures sans donner aucun signe d'épuisement. Il est probable qu'une solide constitution favorise l'endurance dont vous faites preuve; à moins que votre goût de l'effort compense des ressources physiques modestes. L'inconfort et la fatigue viennent difficilement à bout de votre acharnement. Il semble que vous ayez constamment de l'énergie en réserve pour donner un coup de cœur. Un surcroît de travail ne vous effraie pas; au contraire, il vous pousse à trouver votre second souffle. Vous aimez vous dépenser sans ménager vos forces.

Vous débordez d'une inépuisable vivacité. Continuellement en action, vous vous accordez rarement un moment de répit. Dans vos loisirs comme au travail, il vous faut canaliser votre surplus de vitalité dans une activité continuelle. S'il y a une tâche urgente à accomplir, vous retroussez volontiers vos manches pour vous y attaquer sans délai. Engager une course contre la montre est une gageure que vous pouvez tenir grâce à votre dynamisme à toute épreuve. Vous préférez l'hyperactivité à l'oisiveté; celle-ci risquerait de freiner votre élan naturel. En effet, on n'immobilise pas facilement les individus dotés de votre vigueur. Vous trouvez toujours quelque chose à faire. Le rythme trépidant d'une journée bien remplie vous enchante. Vous êtes une personne pleine de vie.

Dans un projet qui vous accapare totalement, vous êtes dans votre élément et donnez avec joie le meilleur de vous-même. Votre entrain à l'ouvrage est tout à fait remarquable. Quand vous vous lancez dans une entreprise, vous vous y consacrez en y mettant tout votre cœur. Vous avez le feu sacré des gens qui se donnent corps et âme à ce qu'ils font. C'est donc avec empressement que vous vous mettez à l'œuvre. L'enthousiasme rayonnant qui vous anime révèle un caractère optimiste. Votre zèle infatigable, stimulé par la perspective de résultats positifs, vous incite à redoubler d'ardeur. Pour vous, le travail n'est pas une corvée mais une passion.

Énergie +

Une énergie considérable favorise votre rendement au travail. Votre endurance vous permet en effet d'abattre avec aisance une besogne qui demande de longs efforts. Les corvées ne vous font pas peur. À l'occasion, vous êtes capable de redoubler d'ardeur afin de venir à bout d'une tâche exténuante. Sans pour autant vous tuer à l'ouvrage, vous n'avez besoin que de brèves pauses pour reprendre votre souffle. Quand vous entreprenez un projet exigeant, vous y mettez tout votre cœur sans calculer votre peine. Grâce à votre enthousiasme, les travaux pénibles vous semblent moins lourds. L'oisiveté exerce peu d'attrait sur vous: vous aimez trop vous engager dans toutes sortes d'activités pour accepter de ne rien faire. Votre grande vitalité vous pousse à l'action.

Énergie =

Qu'il s'agisse d'accomplir une tâche éreintante ou de réaliser un projet dans l'enthousiasme, vous démontrez une énergie comparable à celle de la majorité des gens, sans zèle excessif ni relâchement dans l'effort.

Énergie -

Votre prédisposition à la fatigue vous prépare mal aux épreuves d'endurance. Le travail ardu soulève chez vous peu d'enthousiasme. Il vous semble plus sage de ménager vos forces que de vous trouver au bord de l'épuisement par suite d'un excès de zèle. Vous désapprouvez les gens qui se tuent à la tâche en dépassant la mesure. Vous évitez de vous consacrer à tout projet qui risque de monopoliser votre énergie pendant trop longtemps. Par conséquent, les corvées éreintantes susceptibles de vous vider complètement sont rayées de votre programme d'activités. Votre vie quotidienne est ainsi déchargée des besognes exténuantes qui mènent au surmenage. À une existence au rythme trépidant, vous préférez une vie calme où le repos a sa place. Vous prenez soin de vous dépenser avec modération. Vous savez quand il faut vous arrêter.

Énergie – –

Vos réserves d'énergie sont modestes et votre seuil de fatigue est vite franchi. À cause de votre endurance limitée, il vous faut soit ralentir la cadence, soit interrompre les séances de travail pour reprendre votre souffle. Les pauses fréquentes vous paraissent nécessaires, sans quoi le surmenage pourrait avoir raison de votre résistance. Vous trouvez plus sage d'éviter les corvées exténuantes. Peut-être votre condition physique ne vous permet-elle pas de supporter de tels fardeaux, à moins qu'il ne s'agisse d'un manque d'enthousiasme pour ce genre d'activité. En effet, il vous arrive souvent d'être à court d'entrain. En vous consacrant à un projet de longue haleine, vous craignez de surcharger votre capacité de travail. Vous hésitez à vous engager à fond dans de lourdes tâches qui risquent de vous épuiser. Le calme et la lenteur conviennent davantage à votre rythme de vie que les exercices violents et la précipitation. Vous ne semblez pas bénéficier du surcroît de vitalité qui permet de supporter l'effort. Le travail vous apparaît comme une charge pénible; c'est pourquoi vous avez hâte de vous accorder quelques instants de répit. Vous avez besoin de vous arrêter souvent pour refaire vos forces.

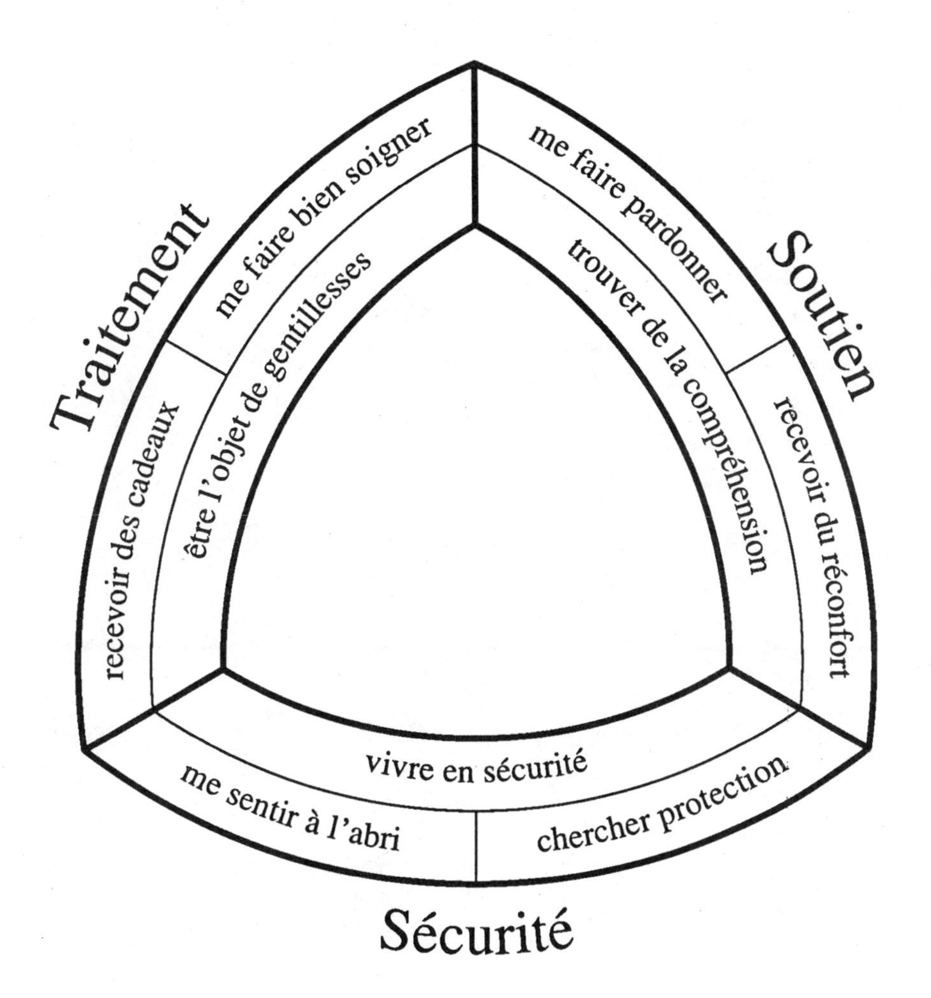
Traitement
me faire bien soigner
être l'objet de gentillesses
recevoir des cadeaux
me faire pardonner
trouver de la compréhension
recevoir du réconfort
Soutien
vivre en sécurité
me sentir à l'abri
chercher protection
Sécurité

Dépendance

Dépendance + +

Vous aimez qu'on pense à vous et qu'on le manifeste de mille façons. Que ce soit un sourire, une lettre ou une salutation, toute marque d'affection provoque chez vous une étincelle de joie. Vous désirez qu'on vous comble sur tous les plans. Une petite attention peut prendre les proportions d'un immense cadeau; par contre, une légère indélicatesse ou un oubli involontaire peuvent vous peiner profondément. Vous voulez qu'on vous rende la vie facile. L'existence vous paraît bien douce quand on prend soin de vous et qu'on vous entoure de tendresse. Ces gestes bienveillants sont pour vous de généreuses rations d'amour quotidien. Vous adorez qu'on vous serve et qu'on assure votre confort. Vous êtes très sensible au traitement qu'on vous accorde et à l'accueil qu'on vous réserve.

Vous avez soif d'encouragement et de compréhension. Lors d'une déception ou d'un chagrin, les paroles de réconfort vous vont droit au cœur. Un rien peut satisfaire votre désir de chaleur humaine et ensoleiller votre journée. L'attitude des gens à votre égard influence fortement votre moral. Vous appréciez qu'on vienne à votre rescousse afin d'alléger le fardeau que vous portez. Si vous n'osez exprimer clairement vos besoins, vous vous arrangez néanmoins pour qu'on les devine. En réponse à ces appels à l'aide, l'assistance d'autrui vous est d'un précieux secours. Dans les moments critiques, la main tendue vers vous est une bouée de sauvetage inespérée. Vous comptez beaucoup sur l'appui des autres.

Devant les risques de la vie, vous vous sentez sans défense. Votre nature pessimiste vous fait craindre le pire. Il vous est difficile de faire aveuglément confiance à l'avenir; la peur de l'inconnu vous porte à vous méfier des caprices du destin. Dans l'attente du lendemain, vous restez sur vos gardes. Vous aimez vous sentir à l'abri de toute mésaventure. Des propos rassurants parviennent à vous calmer; la protection d'une personne fiable vous procure une sensation bienfaisante de sécurité. Une grande inquiétude vous habite; vous avez tendance à vous faire du souci. Lorsque tout danger est écarté, votre esprit apaisé peut enfin se détendre. Vous avez besoin qu'on veille sur vous.

Dépendance +

Votre dépendance vis-à-vis de votre entourage manifeste votre besoin de support et d'encouragement. Les marques de sympathie et les gestes d'affection vous touchent profondément. Cette tendance à compter sur les autres pour recevoir un soutien moral vous rend sensible aux égards qu'on vous témoigne et aux soins qu'on vous prodigue. Votre soif de sécurité vous fait rechercher l'appui des gens qui savent vous envelopper d'une présence rassurante. Leur bienveillante protection vous met à l'abri des dangers et vous apporte la tranquillité d'esprit qui vous est nécessaire. Vous aimez bien qu'on vous dorlote. Le confort d'un nid douillet et les douceurs d'une ambiance chaleureuse sont susceptibles de vous combler. Vous attendez beaucoup des autres.

Dépendance =

Demander de l'aide, rechercher la sécurité, réclamer des soins personnels ne vous caractérisent pas sans pour autant vous répugner. Comme la majorité des gens, vous aimez qu'on vous gâte ou qu'on vous assiste à l'occasion, mais ce n'est pas chez vous une source de préoccupation.

Dépendance –

Il n'est pas dans votre caractère de rechercher l'assistance d'autrui pour vous soutenir ou vous dépanner. Puisque vous vous sentez en sécurité et en possession de vos moyens, vous ne trouvez pas nécessaire de vous faire épauler ou rassurer. Dans l'épreuve, vous êtes capable de vous consoler sans chercher à vous faire remonter le moral par des témoignages de sympathie. Votre humeur sereine vous fait d'ailleurs voir le beau côté des choses. C'est avec optimisme que vous envisagez les hauts et les bas de l'existence. Vous appréciez qu'on vous traite convenablement mais non qu'on vous dorlote. Vous vous passez aisément des soins particuliers et des petites attentions. Votre conception du bien-être exclut ce genre de gâteries. Donner vous est plus agréable que recevoir.

Dépendance – –

La vie vous apparaît sous un jour favorable. Votre vision du monde vous porte à faire confiance à l'avenir. Il est peu probable qu'une vague de pessimisme vous pousse à trouver refuge auprès d'une âme compatissante. Loin de vous réconforter, les marques de sympathie et les mots d'encouragement vous mettent dans l'embarras. Vous n'avez nulle envie de chercher appui et compréhension auprès des gens qui vous entourent. Vous vous estimez en sécurité et vous envisagez les risques de l'existence en toute sérénité. Si un danger surgit à l'horizon, vous vous sentez capable d'y faire face sans demander assistance. D'ailleurs, votre caractère dynamique et indépendant vous ferait repousser toute offre de protection qui risquerait de vous étouffer. Pour vous, la vie est une aventure exaltante même si elle est parfois périlleuse. Vous affrontez les événements avec assurance. Ce n'est qu'en dernier recours et bien à contrecœur que vous consentez à recevoir de l'aide. Il peut vous arriver de réagir froidement aux petites attentions dont on comble les amateurs de gâteries. Même dans la maladie, vous n'acceptez les soins personnels que parce qu'ils sont indispensables. Vous n'aimez pas dépendre des autres.

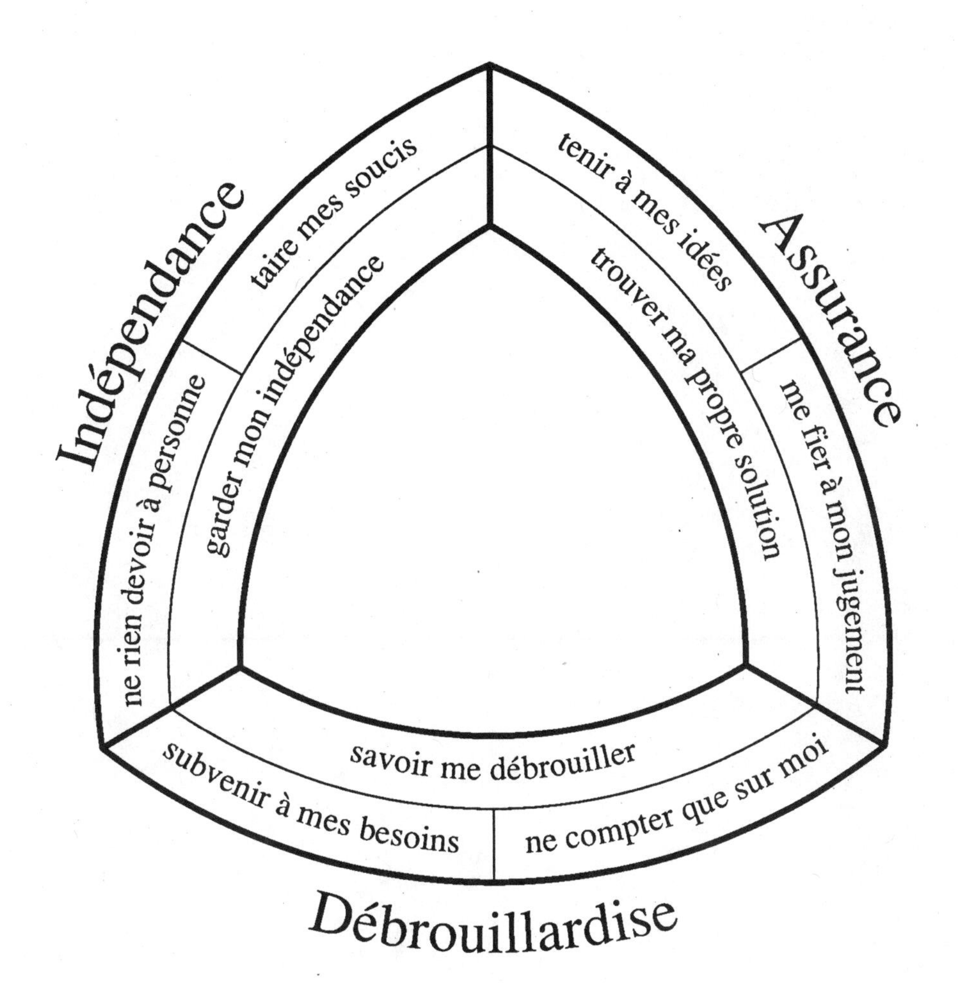
Indépendance
taire mes soucis
garder mon indépendance
ne rien devoir à personne
Assurance
tenir à mes idées
trouver ma propre solution
me fier à mon jugement
Débrouillardise
savoir me débrouiller
subvenir à mes besoins
ne compter que sur moi

Autonomie

Autonomie + +

À cause de votre indépendance de caractère, vous rejetez instinctivement les offres d'aide qui vous sont faites. Vous détestez créer des liens basés sur l'échange de services. Toute dette, de quelque nature qu'elle soit, constitue pour vous un fardeau que vous trouvez lourd à porter. Vous refusez les traitements de faveur qui entraînent toutes sortes d'obligations. Vous craignez qu'à la longue l'intervention des gens ne devienne une intrusion dans votre vie privée. Or vous tenez à votre intimité comme à la prunelle de vos yeux; c'est pourquoi vous l'enveloppez d'une si grande discrétion. On n'y pénètre que sur invitation spéciale. C'est une exclusivité que seuls quelques proches se voient accorder. Il ne faut donc pas s'étonner que vous renonciez à révéler vos tracas personnels. Votre besoin de confidentialité vous invite au silence.

Par souci d'autonomie, vous vous entêtez à résoudre vous-même vos problèmes et à prendre vos décisions sans consulter personne. C'est d'abord votre jugement qui vous guide et vous vous y fiez sans réserve. Votre esprit d'initiative vous indique les choix à faire et la démarche à suivre pour régler une affaire. Par conséquent, il est inutile de tenter de vous influencer dans un sens ou dans l'autre: vous n'en ferez qu'à votre tête en ignorant toute suggestion. Vous voulez tirer vos propres conclusions des analyses que vous avez vous-même effectuées. Vous vous réservez le privilège de trancher les questions. On ne doit donc pas vous dicter les solutions à adopter: c'est vous qui devez les découvrir. Vous tenez fermement à vos idées.

Vous êtes une personne pleine de ressources qui insiste pour se tirer d'affaire par ses propres moyens. Il n'est pas dans vos habitudes de lancer des appels au secours. Vous avez pour principe de subvenir entièrement à vos besoins. Vivre aux crochets de la société heurterait votre nature indépendante. Ce que vous désirez par-dessus tout, c'est vous suffire à vous-même. Dans ce but, vous avez développé un savoir-faire qui vous permet, la plupart du temps, de vous passer d'une aide extérieure. La débrouillardise est une composante majeure de votre personnalité.

Autonomie +

Votre souci d'autosuffisance est remarquable. Vous préférez ne faire appel aux autres qu'en cas d'extrême nécessité. Dans les situations difficiles, vous vous arrangez avec les moyens dont vous disposez. Il vous importe de régler vos problèmes personnels en exploitant au maximum vos propres ressources. Étant donné votre mentalité indépendante, toute aide non sollicitée risque de passer à vos yeux pour une ingérence dans vos affaires. Aussi prenez-vous soin de dissimuler vos ennuis afin de préserver votre intimité. Vous vous dispensez volontiers de l'aide d'autrui; vous misez plutôt sur votre esprit d'initiative. Votre débrouillardise vous évite les dettes de reconnaissance qui vous apparaissent comme des obligations indésirables. Vous tenez à conserver votre autonomie.

Autonomie =

Vous ressemblez à la majorité des gens en ce qui concerne l'esprit de décision, la débrouillardise et la discrétion sur vos affaires personnelles. L'indépendance n'est pas chez vous poussée à l'extrême sans pour autant vous faire défaut. Vous savez compter à la fois sur vous-même et sur les autres.

Autonomie –

Vous croyez davantage aux bienfaits de la solidarité humaine qu'aux vertus de l'autonomie personnelle. Peu vous importe d'être redevable envers les autres si leur aide peut vous tirer d'affaire; à la première occasion, ce sera votre tour de leur rendre service. Ce genre de partage amical convient à votre nature communicative. Même si vos confidences révèlent certains aspects de votre vie privée, vous vous ouvrez en toute confiance sur vos préoccupations du moment. Vous aimez prendre conseil auprès de votre entourage pour faire des choix éclairés. À votre avis, l'entraide permet à chaque membre d'un groupe de mettre à profit l'expérience des autres. Puisque c'est le prix à payer pour une étroite collaboration, vous consentez de bon gré à sacrifier une certaine indépendance.

Autonomie – –

La sauvegarde de votre autonomie est la dernière de vos préoccupations. Un service rendu ou un conseil judicieux suscitent chez vous une profonde reconnaissance. Vous ne sauriez laisser passer l'occasion de bénéficier d'une aide précieuse. Il vous fera plaisir de rendre la pareille au moment opportun. L'entraide vous apparaît en effet comme un heureux partage des ressources qui profite à tout le monde. C'est donc sans aucune gêne que vous faites part de vos soucis à votre entourage de sorte qu'il puisse ainsi mieux vous aider. Vous ne voyez pas l'utilité de garder le secret absolu sur vos ennuis personnels. Au contraire, vous trouvez souhaitable de tenir certaines personnes au courant de votre vie privée. Quand un problème surgit, vous appréciez grandement qu'on vous propose une solution qui vous tire d'affaire. De même, lorsqu'il faut évaluer une situation, vous ne vous fiez pas uniquement à votre jugement: vous savez compter sur l'avis des autres. Agir de votre propre chef sans consulter personne vous paraîtrait imprudent; c'est pourquoi votre seule opinion vous semble insuffisante pour éclairer une décision importante. Vous consentez à sacrifier une certaine marge d'indépendance en vue d'accroître vos moyens d'action. Selon vous, l'individualisme doit céder le pas à la solidarité humaine.

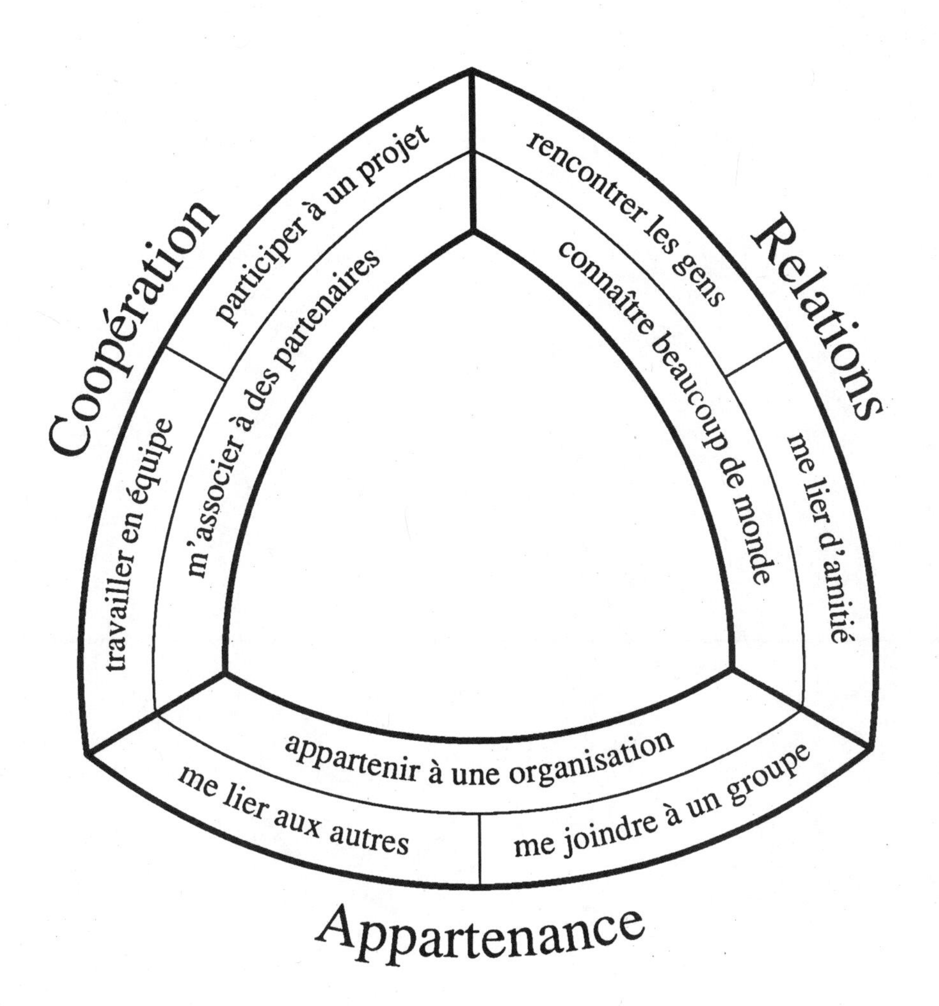

Association

Association + +

Sur le plan du travail, vous faites preuve d'un esprit de coopération remarquable. Vous détestez œuvrer en solitaire car l'isolement affecte votre rendement. Ce qui vous intéresse, c'est le travail en équipe, la répartition des tâches, la participation à une entreprise conjointe. L'interaction avec les membres d'un groupe et leur étroite complicité stimulent votre productivité. Vous assistez volontiers aux séances de discussion où l'atmosphère est propice à la poursuite d'objectifs communs. Si on sollicite votre collaboration à un projet, il y a donc toutes les chances que votre réponse soit affirmative. Vous appréciez le climat chaleureux qui donne un sens à la besogne accomplie ensemble.

Les rapports humains se situent au cœur de vos activités. Rien ne vous plaît autant que la bonne compagnie. Vous adorez rencontrer les gens pour causer avec eux. Grâce à votre sociabilité, vous allez au-devant des autres avec aisance. Vous engagez spontanément une conversation cordiale en vue de nouer des liens de bonne entente. L'amitié compte beaucoup pour vous. Vous voyez s'agrandir le cercle de vos relations avec satisfaction puisque ces nombreuses fréquentations viennent enrichir votre existence. Vous adorez offrir l'hospitalité ou rendre visite aux gens. Au contact des autres, votre caractère amical s'épanouit. La vie sociale vous convient parfaitement.

L'adhésion à un club ou à une association est susceptible de combler votre besoin de vous joindre à une organisation où règne un véritable esprit d'équipe. Vous aimez vous retrouver périodiquement dans un cadre familier en compagnie de gens avec lesquels vous partagez les mêmes centres d'intérêt et les mêmes activités. Votre présence à une réunion est une excellente occasion de manifester votre attachement aux autres. Même coudoyer des étrangers dans un rassemblement éveille chez vous un sentiment profond de solidarité humaine; ces bains de foule vous enthousiasment. Vous avez un sens aigu d'appartenance à la collectivité qui vous entoure.

Association +

Votre style de vie accorde une place privilégiée aux relations humaines. Faire de nouvelles rencontres vous plaît; vous joindre à un groupe vous intéresse; être en bonne compagnie vous enchante. Vous entrez spontanément en contact avec les gens. Sur le plan du travail, votre esprit coopératif favorise votre intégration à une équipe. L'appui des autres vous donne du cœur à l'ouvrage; leur simple présence vous stimule. En retour, on peut compter sur votre collaboration. Vous aimez bien avoir des partenaires avec qui partager vos moments de loisir. L'adhésion à une organisation peut satisfaire votre besoin de solidarité. Vous attachez de l'importance aux liens d'amitié. Votre sociabilité vous pousse à aller au-devant des gens.

Association =

Travailler en équipe, appartenir à une organisation ou assister à une assemblée, voilà trois types d'activités sociales qui vous intéressent modérément. Entre la solitude et les fréquentations mondaines, vous maintenez un juste équilibre.

Association -

Les relations humaines suscitent chez vous plus d'embarras que d'enthousiasme. Le travail d'équipe vous rebute. Il vous est en effet difficile de vous intégrer à un groupe pour participer à un effort collectif. Par contre, un projet individuel est susceptible de vous captiver. Vous n'éprouvez pas le besoin des rencontres périodiques qui rassemblent les membres d'une organisation. Ces liens interpersonnels créent des obligations auxquelles vous préférez vous soustraire. Vous fuyez les rassemblements; les réunions sociales ne vous sourient guère; vous vous passez aisément des mondanités. Le privilège de l'amitié accordé à un petit nombre d'intimes vous convient davantage que les contacts occasionnels avec de vagues connaissances. Fidèle à votre caractère individualiste, vous triez sur le volet les personnes que vous fréquentez.

Association – –

Le désintérêt et même l'agacement que vous manifestez à l'égard des relations humaines vous rendent mal à l'aise en public. Vous aimez vous retrouver dans l'intimité de votre refuge personnel, à l'écart des foules. Aux conversations animées, vous préférez la tranquillité du silence. On peut aisément supposer que vous ne collectionnez pas les cartes de membre de certaines associations où abondent les occasions de faire d'heureuses rencontres. Le calendrier de vos activités mondaines est peu chargé: il exclut les rendez-vous en série qui empiètent sur la vie privée. Les visites et les réceptions vous ennuient mortellement. En ce qui concerne les contacts sociaux, vous faites preuve de la plus grande réserve. Seules quelques personnes se voient accorder le privilège d'être admises dans le cercle restreint de vos intimes. Sur le plan du travail, vous avez du mal à vous intégrer efficacement à une équipe; c'est dans les tâches individuelles que vous excellez. Chose certaine, votre épanouissement ne repose pas sur la solidarité humaine. La vie en société vous apparaît comme un mal nécessaire que vous tolérez en y participant le moins possible. Vous vous en accommodez dans la mesure où elle vous laisse le loisir de goûter l'isolement qui convient à votre nature solitaire.

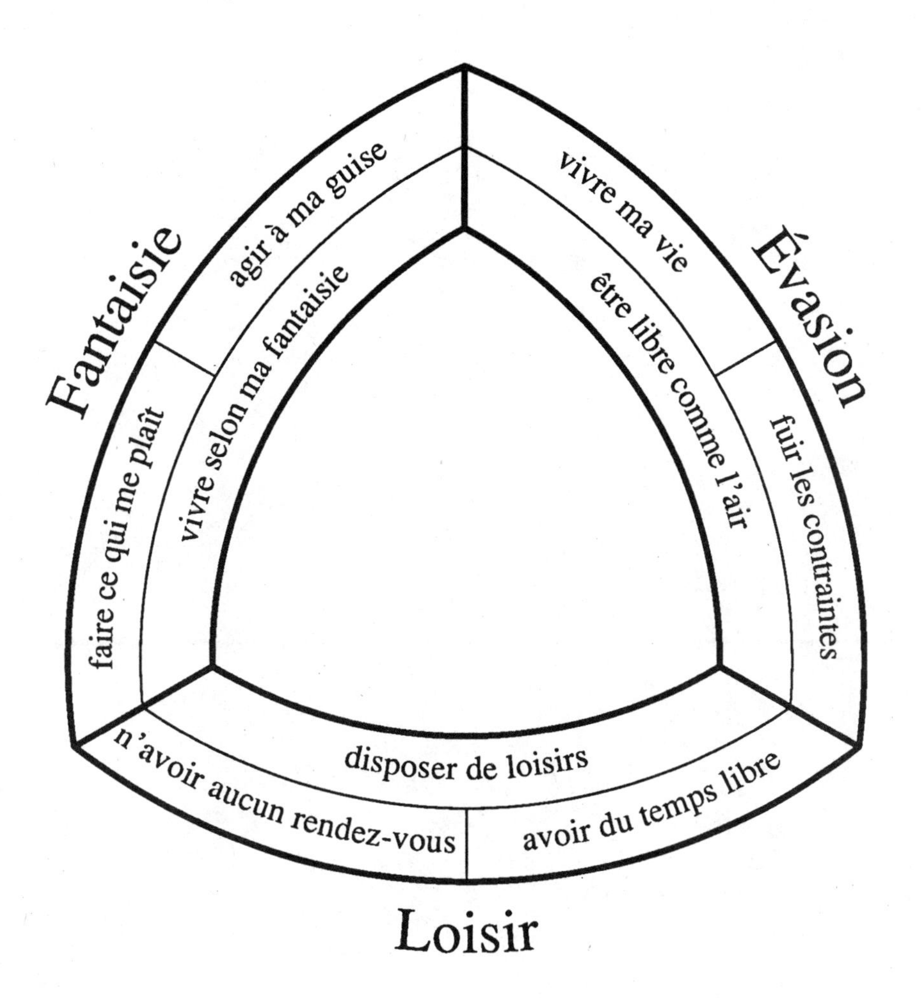
Fantaisie
agir à ma guise
vivre selon ma fantaisie
faire ce qui me plaît
Évasion
vivre ma vie
être libre comme l'air
fuir les contraintes
disposer de loisirs
n'avoir aucun rendez-vous
avoir du temps libre
Loisir

Liberté

Liberté + +

Il vous importe de faire ce qui vous tente au moment qui vous convient. Avoir l'embarras du choix serait un privilège dont vous sauriez tirer parti. Vous pourriez alors vous permettre toutes vos fantaisies. Rien ne vous plairait davantage que de mener une vie consacrée uniquement à faire vos quatre volontés. À l'occasion, il peut vous arriver de braver une interdiction pour le simple plaisir d'affirmer votre individualité. Comme votre liberté de pensée vous est aussi précieuse que votre liberté d'action, on ne doit pas s'attendre à ce que vos opinions soient calquées sur les modèles courants. Vous tenez à garder la maîtrise de votre destin.

Vous résistez farouchement à toute tentative d'enrôlement ou d'endoctrinement. C'est pourquoi vous évitez les organisations dont les règlements sont pour vous d'étouffantes contraintes. Si un obstacle entrave votre démarche, vous l'écartez de votre route. Vous êtes comme l'oiseau qu'on met difficilement en cage. Votre irrésistible besoin d'évasion vous éloigne de tout cadre de vie rigide. Demander une permission vous contrarie vivement: les restrictions vous exaspèrent. Il vous est essentiel de pouvoir disposer de votre personne à votre guise. Dans vos rapports avec les gens, vous conservez l'initiative de vous attacher mais vous refusez qu'on vous attache. Vous vous méfiez des liens qui emprisonnent.

Vous désirez évoluer à votre rythme loin d'un milieu social structuré. Vous veillez à garder vos distances en menant une vie plutôt solitaire. Votre opposition à tout type d'encadrement vous fait détester les engagements à respecter et les horaires à suivre. Vous fuyez comme la peste les multiples obligations qui encombrent un carnet de rendez-vous. Une vie trop rangée remplie d'activités programmées vous ennuierait à mourir. Vous préférez une existence fantaisiste qui vous accorde beaucoup de temps libre. Vous souhaiteriez détenir le contrôle absolu de votre horaire; vous pourriez ainsi disposer à volonté de loisirs abondants. Vous aimez vivre comme bon vous semble. Votre soif de liberté est sans limites.

Liberté +

Comme vous tenez à votre liberté, vous acceptez difficilement les exigences d'une discipline sévère. Votre caractère individualiste s'accommode mal des obligations qu'entraîne la vie en société. Ces restrictions vous embarrassent car vous aimez agir à votre guise. Par conséquent, vous veillez à vous tenir loin des groupes structurés qui imposent à leurs membres une foule de règlements. Considérant que les rapports humains peuvent créer des liens étroits, vous prenez soin de vous affranchir de ces attaches. Vous désirez organiser vos activités sans les encombrer d'astreignants rendez-vous. Vos moments de loisirs vous sont précieux; vous prenez le temps de vivre à votre rythme. Vous trouvez bon d'avoir des moments disponibles pour donner libre cours à votre soif d'évasion. Vous aimez faire ce qui vous tente quand vous le voulez.

Liberté =

Vous acceptez de composer avec les obligations de la vie sociale sans sacrifier les valeurs qui vous sont personnelles. Il vous paraîtrait tout aussi inacceptable d'agir à votre guise en négligeant votre entourage que de vous plier à des règlements trop sévères. Vous conciliez sans problème société et liberté.

Liberté –

Votre appétit de liberté n'a rien de vorace. En société, vous manœuvrez en souplesse sans vous sentir à l'étroit dans le cadre des conventions établies. La vie sociale vous plaît; vous en acceptez de bon gré les coutumes et les obligations. Vous considérez les lois comme des mesures qui harmonisent les relations humaines. Vous n'éprouvez nul besoin d'organiser vos activités en fonction de vos seuls centres d'intérêt. Bien au contraire, vous aimez organiser vos loisirs en tenant compte des autres. Un rendez-vous est pour vous non pas un devoir pénible mais l'occasion d'une agréable rencontre. Selon vous, cela vaut la peine de sacrifier un peu de liberté pour échapper à la solitude. Vous préférez l'engagement social à l'isolement.

Liberté – –

Votre conception de la liberté s'accommode fort bien des conventions qui régissent les relations humaines. Vous n'êtes pas du genre à proclamer bien haut que les normes de conduite représentent des obstacles à votre épanouissement. Au contraire, les avantages de la vie en groupe vous semblent l'emporter largement sur les inconvénients. D'après vous, la société contribue au bien-être de ses membres en définissant les règles qui harmonisent les rapports interpersonnels. Les lois vous apparaissent comme des bornes essentielles à la bonne marche de la vie collective, nullement comme des entraves dont il faut se défaire. Vous n'avez donc aucune intention de vous soustraire aux exigences de la solidarité humaine. À votre avis, si chaque individu agit à sa guise en refusant toute contrainte, c'est l'ensemble du système social qui risque de basculer dans l'anarchie. Vous reconnaissez qu'on ne peut faire ses quatre volontés tout en souhaitant s'accorder avec son entourage. Il vous est facile de renoncer à certains caprices personnels afin d'être plus proche des gens. Un calendrier rempli de rendez-vous représente pour vous non pas une série d'obligations astreignantes, mais d'agréables occasions de rencontrer du monde. Les contacts sociaux occupent une place importante dans votre vie. C'est auprès des autres et non dans l'isolement que fleurit votre liberté.

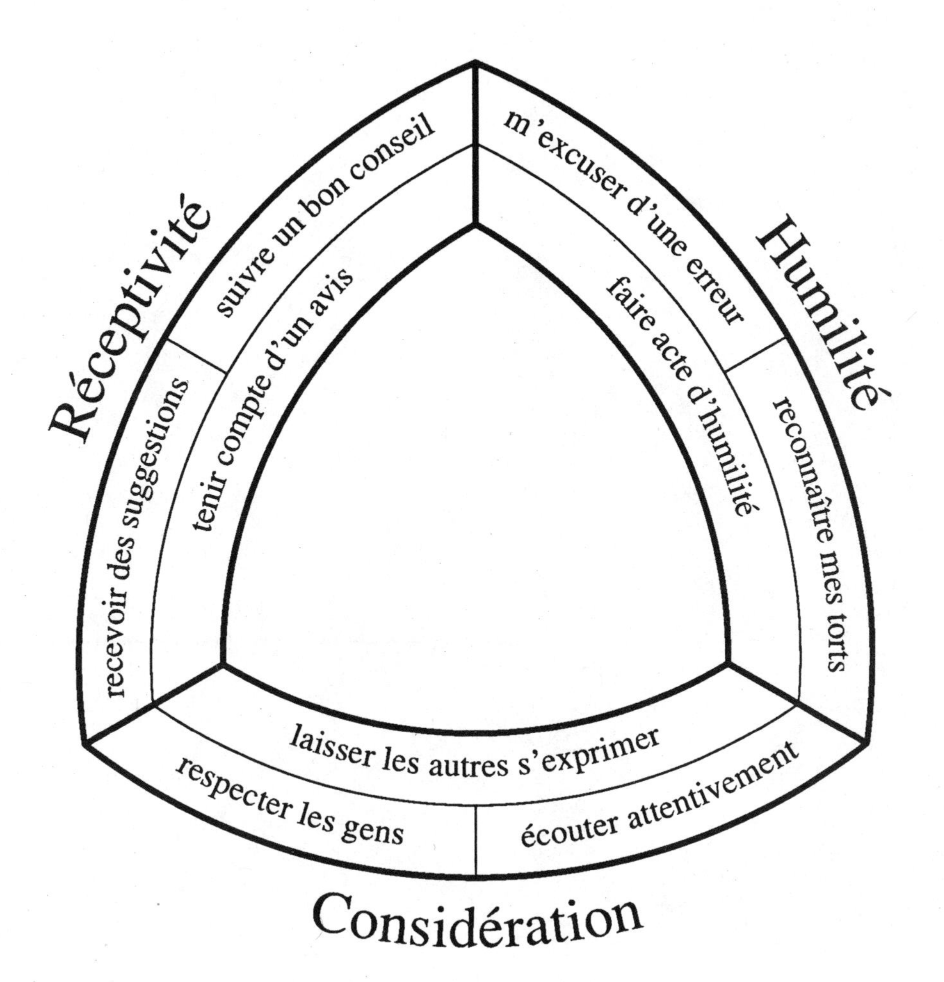
Réceptivité
suivre un bon conseil
tenir compte d'un avis
recevoir des suggestions
m'excuser d'une erreur
faire acte d'humilité
Humilité
reconnaître mes torts
laisser les autres s'exprimer
respecter les gens
écouter attentivement
Considération

Déférence

Déférence + +

Il vous est facile de tomber d'accord avec les autres une fois qu'ils vous ont exposé leur point de vue. Leurs avis vous intéressent et vous les sollicitez aussi souvent qu'il est nécessaire. C'est avec empressement que vous accueillez toute information susceptible de vous renseigner. Vous savez prendre en considération les remarques constructives tout autant que les critiques sévères. Si vous avez besoin de conseils pratiques, vous n'hésitez pas à recourir aux ressources d'une personne compétente. De même, avant d'en arriver à une décision, vous aimez consulter votre entourage pour vous faire éclairer. Vous n'avez aucune objection à ce que l'opinion d'autrui prévale sur la vôtre. Au contraire, vous avez tendance à rechercher autour de vous des signes d'approbation.

Votre attitude envers les gens est empreinte d'une profonde humilité. Par égard pour vos proches, vous avouez spontanément vos erreurs. Tandis que d'autres trouvent pénible de réprimer leur orgueil afin de demander pardon, il n'en est rien pour vous: faire amende honorable ne vous abaisse pas. Votre modestie naturelle vous aide à admettre vos torts en toute simplicité. Bien que ce genre de déclaration n'ait rien de réjouissant, vous ne craignez pas de perdre la face. Reconnaître une faute vous apparaît comme une démarche dictée à la fois par l'honnêteté et le respect des gens. Quand vous présentez vos excuses, c'est une marque de considération que vous voulez donner aux autres.

Vous maîtrisez à la perfection l'art d'écouter: il vous fait plaisir de laisser la parole aux autres. Dès qu'une personne ouvre la bouche, vous lui prêtez attention afin de bien saisir ce qu'elle veut dire. Ce n'est pas vous qui oseriez l'interrompre pour la contredire. Toujours d'une aimable discrétion, vous savez donner aux gens l'occasion de s'exprimer. Si vous n'êtes pas d'accord, vous observez du moins un silence poli tout en continuant de tendre l'oreille. On trouve votre conversation agréable même si vous parlez peu car votre attitude réceptive valorise quiconque s'adresse à vous. Votre respect des qualités et défauts de chaque être humain témoigne de votre ouverture d'esprit. Vous avez beaucoup d'égards pour les gens.

Déférence +

Vous avez le respect des autres; les idées qu'ils émettent éveillent votre intérêt. Votre esprit réceptif vous incite à accueillir avec bienveillance les conseils qu'on vous donne et à agir en conséquence. Les égards que vous manifestez envers les gens qui vous parlent démontrent l'importance que vous leur accordez. En votre présence, ils se sentent appréciés et savent que leur point de vue entrera en ligne de compte. Avec vous, on peut s'exprimer librement car vous savez écouter. Vous acceptez les individus qui vous entourent avec leurs ressources et leurs limites. Votre considération envers les gens peut se manifester sous forme d'excuses lorsqu'il vous faut reconnaître vos torts. Votre humilité naturelle vous porte à vous effacer devant les autres.

Déférence =

Votre façon de respecter les autres et leur point de vue ressemble à celle de la majorité des gens. Quand il faut accueillir une suggestion ou reconnaître une erreur, vous faites preuve de considération sans égards excessifs ni attitude de mépris.

Déférence −

Les gens ne sont pas portés à vous exprimer leur point de vue car vous avez tendance à vous désintéresser de ce qu'ils pensent. Quand on vient vous donner un conseil ou vous proposer une solution, votre caractère peu réceptif vous incline à prêter une oreille distraite. Vous demandez le moins souvent possible l'avis des autres car ce sont surtout vos idées personnelles qui vous guident. Vous tenez rarement compte des suggestions que vous n'avez pas sollicitées. En général, vous faites peu de cas de l'opinion des gens; il vous est difficile de leur accorder une importance qui les mettrait en valeur. L'aveu d'une erreur, par exemple, vous demande un grand effort. Un tel acte d'humilité équivaut à une marque de considération envers l'autre. Or vous n'exprimez pas spontanément l'estime que vous avez pour les gens.

Déférence – –

Écouter attentivement vous demande un effort soutenu; le plus souvent, ce qu'on vous dit ne vous intéresse pas. Comme vous n'avez pas l'intention de mettre en pratique les recommandations qu'on vous adresse, vous ne voyez aucune utilité à recueillir des suggestions. Tout compte fait, le point de vue des autres ne pèse pas bien lourd dans vos décisions. Il vous semble généralement plus indiqué de faire la sourde oreille et d'agir uniquement d'après vos convictions. Vous attachez très peu d'importance à une idée qui n'est pas de vous. Il n'est donc pas surprenant que vous détestiez faire acte de modestie en demandant conseil. De même, lorsqu'il vous faut admettre une erreur personnelle, votre amour-propre est mis à rude épreuve. Il vous répugne de vous incliner pour présenter des excuses. À vos yeux, une telle démarche est humiliante: elle vous place dans une position d'infériorité par rapport à la personne qui reçoit ainsi une marque de respect. Ce n'est pas de gaieté de cœur que vous mettez les gens en valeur en vous abaissant de cette façon. De fait, les autres ont beaucoup de difficulté à se faire apprécier de vous. Selon vos critères sévères, on ne se mérite pas facilement votre considération.

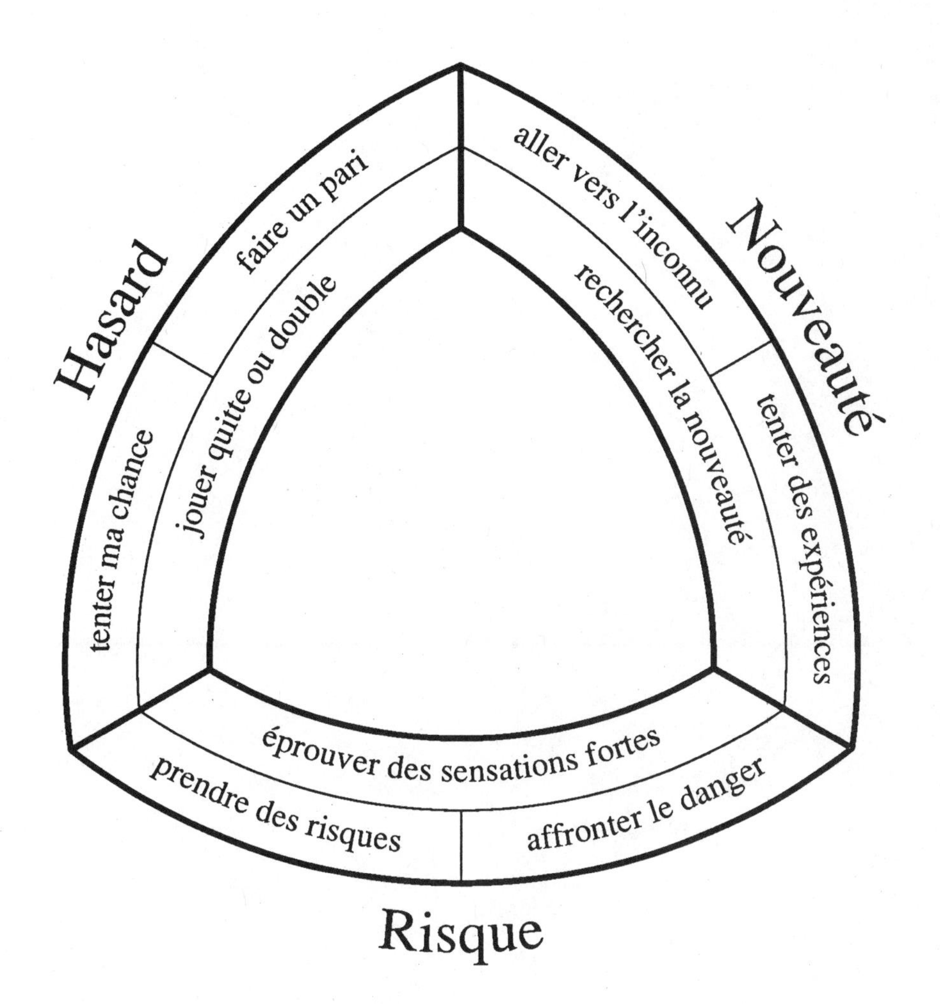
Hasard
faire un pari
jouer quitte ou double
tenter ma chance
Nouveauté
aller vers l'inconnu
rechercher la nouveauté
tenter des expériences
Risque
éprouver des sensations fortes
prendre des risques
affronter le danger

Audace

Audace ++

Les jeux de hasard exercent sur vous un attrait irrésistible. Vous croyez volontiers que votre jour de chance est arrivé et que le sort vous sera favorable. Ayant foi en votre bonne étoile, vous avez l'intime conviction que la fortune sourit aux audacieux. Vous avez la passion du jeu. Il peut vous arriver de miser gros sur un simple coup de dés. Pour vous, c'est l'instant présent qui compte: l'avenir importe peu. Votre hardiesse peut aussi bien vous permettre d'exécuter un coup de maître que vous jouer un vilain tour. À certains égards, c'est toute l'existence qui à vos yeux est une gageure et vous entendez bien tenir votre pari. Au jeu de la vie, vous n'hésitez pas à jouer le tout pour le tout pour gagner le gros lot.

Votre capacité d'émerveillement est sans limite. Vous manifestez un grand intérêt pour tout ce qui est nouveau ou étrange. Vous raffolez des expériences inusitées qui sont sources d'étonnement. Il suffit d'une légère extravagance pour donner du piquant à votre quotidien. Loin de vous prendre au dépourvu, les caprices du hasard créent chez vous un heureux effet de surprise. Non seulement vous vous adaptez rapidement à l'imprévu mais vous le recherchez avec plaisir. Vous maîtrisez à la perfection l'art d'improviser. Irrésistiblement, les frontières de l'inconnu piquent votre curiosité. Votre esprit d'aventure vous pousse à sortir des sentiers battus afin d'explorer d'attirants horizons.

Vous êtes du nombre de ces casse-cou intrépides qui méprisent la peur. L'aspect périlleux d'un tour de force est un défi invitant que vous ne pouvez laisser passer. Vous aimez braver le destin. Les manœuvres difficiles et les hautes vitesses peuvent vous griser à l'extrême. Dans cette zone éprouvante située à la limite du tolérable, vous avez des nerfs solides. Là où d'autres frémissent de crainte ou sont pris de panique, vous savez garder votre sang-froid afin d'affronter avec une belle inconscience des situations parfois insoutenables. Votre caractère audacieux vous invite à savourer l'émotion que procure l'instant présent. Ignorant les frissons de la peur, vous recherchez l'excitation du danger. Vous avez le goût du risque qui séduit les amateurs de sensations fortes.

Audace +

Vous êtes d'une audace à affronter des situations qui ne sont pas de tout repos. Votre esprit d'aventure vous entraîne facilement vers des projets remplis d'imprévus. Tout ce qui est étrange et inconnu représente pour vous un univers passionnant à explorer. La nouveauté vous fascine; elle vous pousse à tenter des expériences fertiles en émotions. Vous avez tendance à vous lancer dans des entreprises risquées qui feraient reculer bien des gens. Vous aimez croire que la chance vous sourit. C'est pourquoi vous ne ratez pas une occasion de parier même une somme modeste pour le plaisir de la chose. Votre spontanéité teintée d'insouciance vous rend parfois capable de gestes audacieux.

Audace =

Sans être d'une prudence excessive, vous n'êtes pas non plus du genre risque-tout. Les jeux de hasard, les expériences pleines d'imprévus ou les projets périlleux ne sont pas vos activités préférées. Face au danger, vous prenez les mesures qui s'imposent sans vous tourmenter inutilement.

Audace -

Votre sens de la mesure vous incite à éviter toute expérience susceptible de vous causer des ennuis. Ce n'est pas votre style de vous jeter à corps perdu dans de folles aventures. Redoutant les pièges du destin, vous faites preuve de prudence. Il n'est donc pas à craindre que vous couriez en casse-cou au-devant du danger. Au contraire, vous vous gardez bien de compromettre votre sécurité par des gestes inconsidérés. La recherche grisante de sensations fortes a peu de prise sur vous. Les jeux de hasard n'éveillent en vous aucune passion car gager n'est pas dans vos habitudes. Pour vous, gagner de l'argent signifie toucher le fruit d'un travail, non celui de la chance. Loin de vous fasciner, la nouveauté déclenche chez vous une certaine résistance. Devant l'inconnu, vos pas sont hésitants. Vous n'avez pas le goût du risque.

Audace − −

Votre extrême prudence vous interdit les gestes irréfléchis qui vous exposeraient à des risques inutiles. Vous évitez systématiquement les multiples dangers que font courir les folles aventures aux conséquences imprévisibles. Il serait très étonnant que vous vous embarquiez à l'improviste dans une expérience douteuse. Ce n'est pas votre genre de vous lancer aveuglément dans des projets échafaudés à la hâte. Vous choisissez plutôt de vous cantonner sagement dans l'univers sans surprise de vos habitudes. Tout ce qui a un caractère de nouveauté vous rebute: vous détestez affronter l'inconnu. Une vie régulière dans votre patelin familier est faite pour vous plaire. Aux sensations fortes, vous préférez la douceur d'une vie tranquille. C'est pourquoi l'excitation que procurent les jeux de hasard vous rebute plus qu'elle vous enchante. Jouer à quitte ou double vous apparaît comme une entreprise téméraire où l'on risque de perdre sa mise. La pensée magique qui inspire les joueurs inconditionnels ne vous effleure même pas l'esprit; votre réalisme bannit ce type d'illusion. Tenter sa chance, quel que soit l'enjeu, est une démarche en laquelle vous n'avez pas foi. Vous cherchez à minimiser les surprises d'un avenir incertain. La nécessité d'improviser vous rend mal à l'aise; vous tenez à prendre vos précautions pour faire face à tout imprévu. Chez vous, la perspective d'une expérience nouvelle provoque une réaction de recul. En somme, vous recherchez la stabilité d'une existence sans histoires.

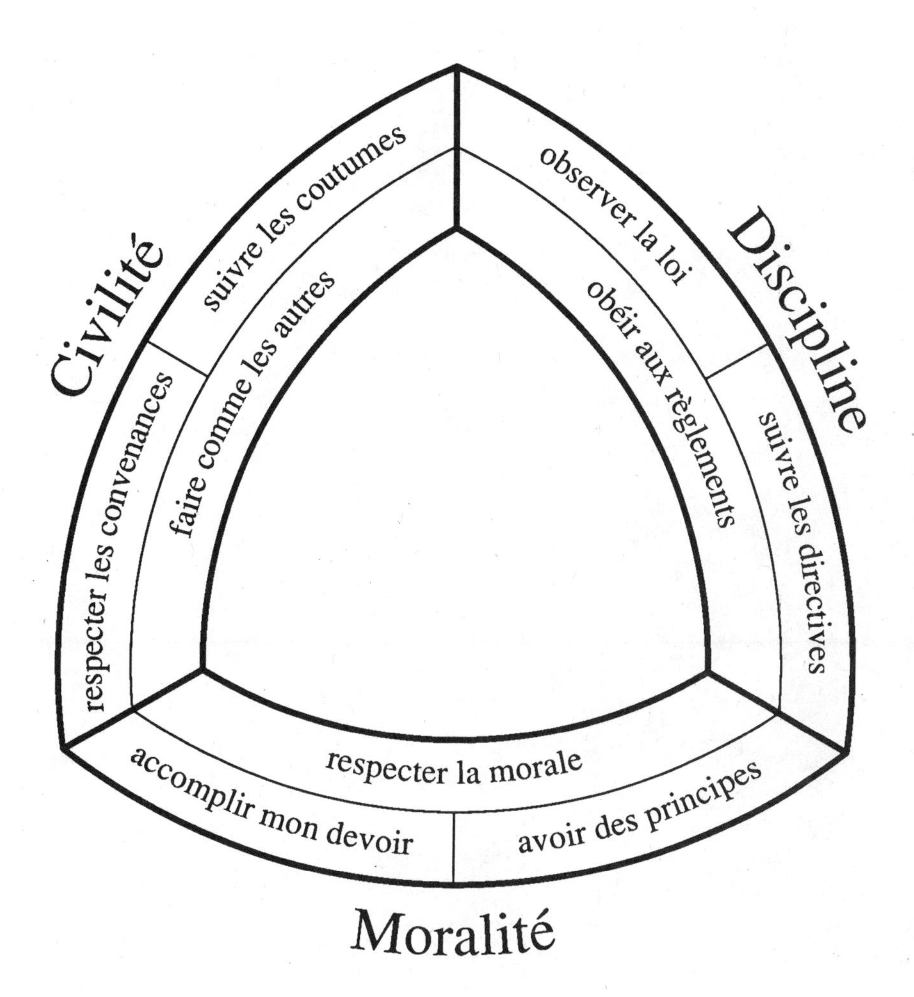

Conformisme

Conformisme ++

Puisque vous êtes favorable aux traditions et aux coutumes, vous vous ralliez sans réserve au mode de vie de la majorité. Il n'est donc pas surprenant que sur le chapitre de l'étiquette et de la bienséance, vous adoptiez une attitude inflexible. Votre grande courtoisie vous incite à respecter scrupuleusement les convenances. Il est peu probable, par exemple, que vous manquiez volontairement aux règles de la ponctualité. Ce savoir-vivre facilite votre adaptation aux usages de votre milieu. En public, vous savez d'instinct ce qui est acceptable et ce qui choque les bonnes manières. Vous vous acclimatez sans problème aux conventions sociales.

Votre esprit conservateur reconnaît la primauté de la loi et de l'ordre. Le maintien des institutions vous apparaît essentiel. Toute directive est, à votre avis, émise pour être suivie: il faut que la discipline règne, sans quoi le désordre risque de s'installer. Votre système de valeurs vous oblige à vous soumettre aux décisions de l'autorité. En toute circonstance, vous exigez de vous-même et des autres la stricte observance des normes établies. Votre respect des règlements repose sur le principe que chaque individu doit accepter certains sacrifices pour profiter des avantages de la vie collective. C'est pourquoi vous vous faites un point d'honneur de respecter l'esprit et la lettre de la loi. Vous témoignez d'un sens civique irréprochable.

Vous êtes très sévère pour vous-même: la moindre faute peut vous sembler impardonnable. Comme vous êtes catégorique, la nette distinction que vous établissez entre le bien et le mal vous interdit tout laisser-aller. Des principes rigoureux inspirent votre intégrité; votre conscience ne tolère aucune erreur de parcours. Votre sens du devoir vous indique le droit chemin que vous vous appliquez à suivre sans dévier. Vous tâchez d'être fidèle à la ligne de conduite que vous vous êtes tracée en étant d'une scrupuleuse honnêteté. Il est obligatoire, selon vous, que tous pratiquent un civisme dicté par le respect des êtres et les impératifs du bien commun. Vous placez très haut les valeurs morales.

Conformisme +

Vous vous soumettez de bon gré aux usages qui ont cours dans votre milieu. Il vous paraît important de respecter le code des convenances qui dicte les bonnes manières et la conduite à suivre. Afin de sauvegarder l'harmonie collective, vous trouvez essentiel que tous se plient aux règlements établis par les autorités compétentes. Votre obéissance aux lois témoigne d'un niveau de conscience sociale élevé. C'est donc avec conviction que vous observez les règles nécessaires à la bonne marche de la société. Comme vous êtes une personne de principes, tout manque d'honnêteté et de discipline choque votre sens du devoir. Les notions de civisme et de responsabilité sont au cœur de votre système de valeurs. En matière de morale, vous avez tendance à être sévère.

Conformisme =

Votre savoir-vivre témoigne d'un respect des convenances qui n'empêche pas la spontanéité. À l'égard des règles de discipline, vous adoptez une attitude souple et éclairée. Vous vous conformez aux principes moraux sans tomber dans les excès du relâchement ou du scrupule.

Conformisme –

Le respect des usages qui ont cours dans la société représente pour vous une obligation désagréable. Régler la conduite de votre vie sur de telles normes vous est moins naturel qu'écouter la voix de votre conscience. Les lois civiles, les coutumes transmises par la tradition, les directives de l'autorité sont pour vous un fardeau d'impératifs encombrants. Peut-être estimez-vous qu'elles réglementent avec trop de rigueur le comportement des gens ou qu'elles empiètent sur leur vie privée. Vous préférez fonder votre sens du devoir et vos convictions morales sur des critères personnels. L'obéissance aveugle aux conventions sociales est contraire à vos principes. Votre résistance au conformisme témoigne d'un besoin d'originalité qui vous empêche d'agir comme tout le monde.

Conformisme − −

Vous réagissez vivement contre les conventions de toutes sortes qui régissent la vie collective. L'ordre établi irrite votre caractère rebelle plus enclin à la contestation qu'à la docilité. Vous vous accommodez tant bien que mal des directives émises par les autorités. Il vous est difficile d'accepter les restrictions que la société impose à ses membres: cet univers réglementé n'est pas le vôtre. Le contrôle du comportement humain pour maintenir l'ordre public vous apparaît au mieux comme un mal nécessaire. Étant donné votre résistance à toute forme d'enrôlement, il ne faut surtout pas attendre de vous l'obéissance aveugle. Les traditions et les coutumes forment, selon vous, un tissu de contraintes exaspérantes. Votre conception du respect des personnes fait plus appel à la spontanéité du cœur qu'à un code rigide de convenances. Vous faites preuve de gentillesse sans vous embarrasser de cérémonies. Votre attitude anticonformiste et votre souci de préserver votre originalité ne vous prédisposent certes pas à vous comporter comme tout le monde. Sur le plan moral, vous préférez conformer vos actes à vos convictions et à votre sens du devoir plutôt qu'aux règlements institués par d'autres. La soumission à toute discipline vous est pénible. Quant aux lois en vigueur, vous en respectez davantage l'esprit que la lettre. C'est votre conscience personnelle qui vous dicte le droit chemin. En gardant vos distances vis-à-vis des normes sociales, vous cherchez à affirmer votre individualité.

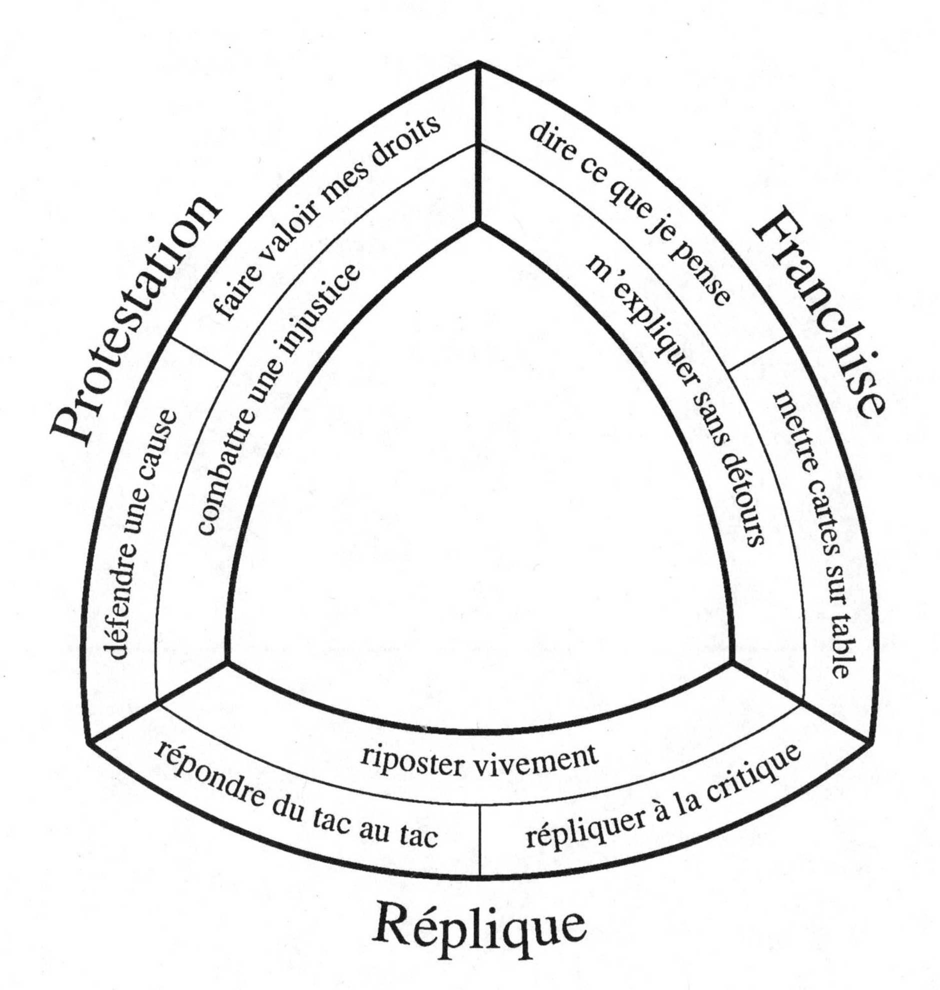

Agressivité

Agressivité + +

L'injustice sous toutes ses formes provoque en vous une vive réaction. S'il y a des torts à redresser ou des abus à dénoncer, vous pouvez livrer une lutte sans merci. Quand vous estimez être victime d'un préjudice, votre forte agressivité vous stimule à résister farouchement. Il n'est pas dans vos habitudes de céder du terrain en vous laissant exploiter; c'est l'autre qui doit battre en retraite. Cette combativité (à ne pas confondre avec la violence physique) vous pousse à défendre âprement vos droits si vous les croyez menacés. Qu'il s'agisse de réclamer votre dû ou de porter plainte, vous en informez directement la personne responsable. L'adversaire n'a qu'à bien se tenir car vous n'avez pas froid aux yeux.

Votre répugnance pour les faux-fuyants et les sous-entendus vous incite à vous exprimer sans détour. Comme vous parlez en langage clair, il n'est pas nécessaire de lire entre les lignes pour vous comprendre. Les situations sont limpides parce que vous jouez cartes sur table. Au risque de choquer, vous ne craignez pas de dévoiler le fond de votre pensée. À l'occasion, votre frustration peut éclater en une retentissante colère. Mais une fois la tempête passée, vous ne gardez pas rancune. Même s'il peut paraître dur, votre franc-parler offre l'immense avantage de favoriser une communication sans équivoque. Avec vous, il n'y a aucun mystère: on sait à quoi s'en tenir.

On ne s'en prend pas impunément à votre personne et vous ne tolérez pas qu'on vous marche sur les pieds: la riposte est automatique et impitoyable. Nul besoin d'une avalanche d'insultes pour déclencher votre contre-attaque: vous réagissez vigoureusement à la moindre malveillance. Avec la vitesse de l'éclair, les importuns sont remis à leur place; vous ne mâchez pas vos mots pour leur dire leurs quatre vérités. Si on vous pique au vif, vous savez rendre coup pour coup. Même vos plaisanteries peuvent être mordantes: votre sens instinctif de la réplique vous fait mettre en boîte quiconque ose vous taquiner. Quand on a comme vous la réponse facile et l'esprit vif, il est tentant de manier l'humour avec une pointe d'ironie. Comme quoi l'agressivité bien canalisée peut être un atout précieux.

Agressivité +

Votre caractère combatif vous prédispose à bien vous défendre contre toute atteinte à vos droits. Quiconque essaie de vous causer du tort aura affaire à vous. Si vous êtes témoin d'un acte malhonnête, vous n'hésitez pas à intervenir. Comme vous réagissez vivement à la provocation, une injure à votre endroit ne reste pas sans réponse. Votre sens de la repartie vous sert également lorsqu'une taquinerie amicale appelle une réplique. Dans une discussion, vous pouvez être d'une franchise désarmante. S'il y a lieu de faire une mise au point, vous aimez vous exprimer sans détour. La clarté d'un langage direct vous paraît préférable à l'ambiguïté des sous-entendus. Pour signifier votre désaccord ou formuler une plainte, vous allez droit au but. L'agressivité a ses bons côtés: grâce à vos propos sans équivoque, la situation est toujours claire.

Agressivité =

S'il faut faire valoir vos droits, exprimer votre désaccord ou répondre à une insulte, vous manifestez une combativité modérée qui exclut le silence résigné et les crises de colère.

Agressivité –

Votre bon caractère vous porte à abandonner toute réclamation ou protestation quand on empiète sur vos droits. Dans des circonstances où d'autres piqueraient une violente colère, vous gardez un calme désarmant. Même si elle gronde à l'intérieur, votre exaspération reste muette. Il vous est difficile de riposter avec aplomb. Vous choisissez de contenir votre irritation plutôt que de faire une scène bien méritée. Au lieu de répondre du tac au tac, vous cherchez vainement vos mots à moins que vous n'avaliez tout simplement votre salive. Même une blague anodine à votre endroit demeure sans réplique. Vous avez tendance à dissimuler le fond de votre pensée par crainte qu'un langage trop direct blesse les gens. La communication avec vous est parfois compliquée à cause de votre silence réservé. Votre agressivité est lente à s'exprimer.

Agressivité – –

En raison de votre naturel inoffensif, vous hésitez à défendre vos droits. Même si vos griefs sont pleinement justifiés, vous préférez retenir paroles et gestes de mécontentement par crainte d'envenimer la situation. Comme si vous en preniez votre parti, vous vous imposez le silence à moins que vous n'émettiez une plainte timide en guise de protestation. Face à l'insulte qui mériterait une réplique mordante, vous demeurez imperturbable. Si on vous blesse par des propos malveillants, vous préférez passer l'éponge. Selon vous, toute vérité n'est pas nécessairement bonne à dire. C'est pourquoi il vous est si difficile de vous expliquer franchement lorsqu'il le faut. À cause de votre tempérament peu combatif, vous encaissez les coups sans réagir. Votre exaspération atteint rarement son comble, mais elle peut soudainement éclater comme l'orage que personne n'a vu venir. En général toutefois, vous vous armez de patience. Estimant que la colère est mauvaise conseillère, vous observez un mutisme résigné en espérant que le temps arrangera les choses. Ainsi, la minute de vérité se fait attendre. Votre bon caractère vous porte à fuir tout affrontement; il ne laisse aucune place à l'agressivité.

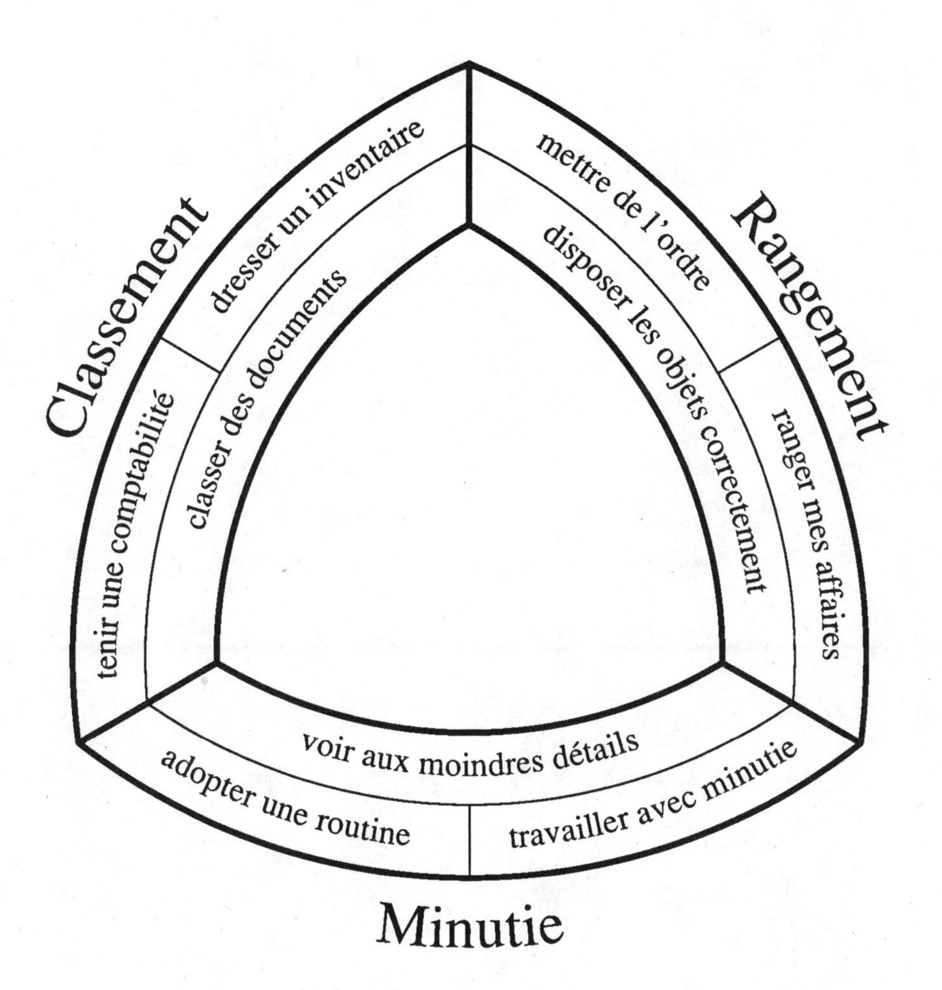
Classement
dresser un inventaire
classer des documents
tenir une comptabilité
Rangement
mettre de l'ordre
disposer les objets correctement
ranger mes affaires
voir aux moindres détails
adopter une routine
travailler avec minutie
Minutie

Ordre

Ordre ++

Votre nature ordonnée vous prédispose aux travaux qui requièrent une parfaite exactitude. Vous êtes à l'aise dans des tâches de grande précision comme la comptabilité, le tri de documents ou la mise à jour d'inventaire. Ces occupations astreignantes de nature répétitive nécessitent une fiabilité dont vous savez faire preuve. Trier, compiler, sérier, lister, codifier, répertorier constituent en effet des activités où votre esprit rigoureux peut s'employer utilement. Sur le plan des loisirs, votre intérêt marqué pour le rangement peut vous inciter à monter une collection dont l'organisation soignée sera le fruit d'une patiente application. Votre goût du classement révèle votre penchant pour l'ordre.

Vous comptez parmi les adversaires irréductibles du désordre sous toutes ses formes. Afin de pouvoir vous y retrouver sans problème, vous insistez pour que chaque chose soit remise à sa place. Vous tolérez difficilement le fouillis des objets qui traînent à l'abandon; il vous est insupportable de vivre au milieu de la confusion. Pour qu'un endroit vous paraisse accueillant et confortable, il faut que l'ordre règne. Au travail, la bonne tenue des lieux favorise votre rendement. Dans votre vie privée, vous tenez à exercer un étroit contrôle sur la disposition de vos effets personnels. Votre habillement est aussi l'objet d'attentions particulières car votre sens de la discipline commande une mise impeccable. Vous ne ratez aucune occasion de satisfaire votre passion du rangement.

Votre souci de l'ordre s'accompagne d'une préoccupation constante des moindres détails. Ce que d'autres considèrent avec mépris comme de vulgaires bagatelles peut avoir à vos yeux une importance capitale. Rien n'échappe à votre vigilance: vous prenez soin de tout vérifier à fond en vous livrant à une sévère inspection. Votre caractère méticuleux ne saurait accepter un travail bâclé. Quand vous mettez la dernière main à une tâche, vous n'exigez rien de moins que la perfection. Votre hantise de la minutie vous interdit toute négligence. Une fois chaque détail réglé, vous avez enfin le sentiment du devoir accompli. Votre conscience est satisfaite: tout est irréprochable.

Ordre +

Vous êtes une personne rangée, adversaire du fouillis et de l'à-peu-près. Quand tout est sens dessus dessous, vous êtes mal à l'aise. Vous aimez qu'autour de vous chaque objet soit à sa place. Sur ce point, vous donnez l'exemple en disposant convenablement vos affaires personnelles. La bonne tenue des lieux contribue à votre bien-être. Un environnement bien organisé vous invite à vous installer confortablement tandis qu'un endroit où règne le laisser-aller vous donne plutôt l'envie de fuir. À vos yeux, les petits détails ont de l'importance; vous vous faites un devoir de leur accorder l'attention particulière qu'ils méritent. Votre souci de tout vérifier est un atout précieux lorsqu'il faut faire preuve d'exactitude. Vous aimez travailler de façon méticuleuse et ordonnée.

Ordre =

Sans vous complaire dans le fouillis, vous ne versez pas pour autant dans l'obsession du rangement systématique ou de la vérification pointilleuse. Votre souci du détail évite à la fois la distraction négligente et l'extrême minutie.

Ordre –

Vous ne tenez pas à vivre dans un environnement trop ordonné. Un entourage où sévit une discipline de fer en matière de rangement représente pour vous un cadre de vie inhospitalier en raison de son austérité. Peu vous importe que règne un certain désordre si l'atmosphère y gagne en spontanéité. Par conséquent, vous favorisez un climat décontracté qui ne fait aucun cas de l'aménagement des lieux. De plus, les occupations qui demandent beaucoup d'exactitude vous ennuient par leur rythme monotone. Le type de contrôle méticuleux requis par les vérifications systématiques vous exaspère. C'est pourquoi vous avez tendance à éviter les tâches routinières qui exigent régularité et précision. Les petits détails vous échappent car ils sont pour vous sans intérêt. Ce qui demande ordre et minutie vous embarrasse.

Ordre – –

Vous appréciez qu'un certain désordre vienne mettre une touche de fantaisie autour de vous. Conformément à votre style décontracté, vos effets personnels s'éparpillent dans une joyeuse anarchie. Avec une belle indifférence, vous renoncez à exercer tout contrôle sur votre environnement. Des bibelots bien disposés, des livres bien alignés, des journaux bien empilés, voilà le genre de décor sévère qui vous prive d'un confort reposant. Une bonne dose d'indiscipline crée l'ambiance détendue qui convient à votre nature bohème. Chez vous, c'est la spontanéité qui prime plutôt que la rigueur. En donnant libre cours à un agréable relâchement, vous adoptez le rythme qui vous plaît. L'idée d'occuper vos loisirs à monter une collection ne vous fait certes pas bondir d'enthousiasme. Vous estimez avoir mieux à faire que de consacrer vos efforts à trier, classifier ou inventorier. Il vous est pénible de vous pencher longuement sur des documents: ce genre d'activité sédentaire vous ennuie. Tout travail de précision vous rebute. C'est donc de bon gré que vous laissez à d'autres le soin des menus détails. Vous traitez ces bagatelles avec la légèreté et le détachement que méritent les choses sans importance. Pourvu que tout semble fonctionner, vous jugez inutiles les inspections et vérifications répétées. Votre caractère insouciant est carrément rebelle aux nécessités de l'ordre.

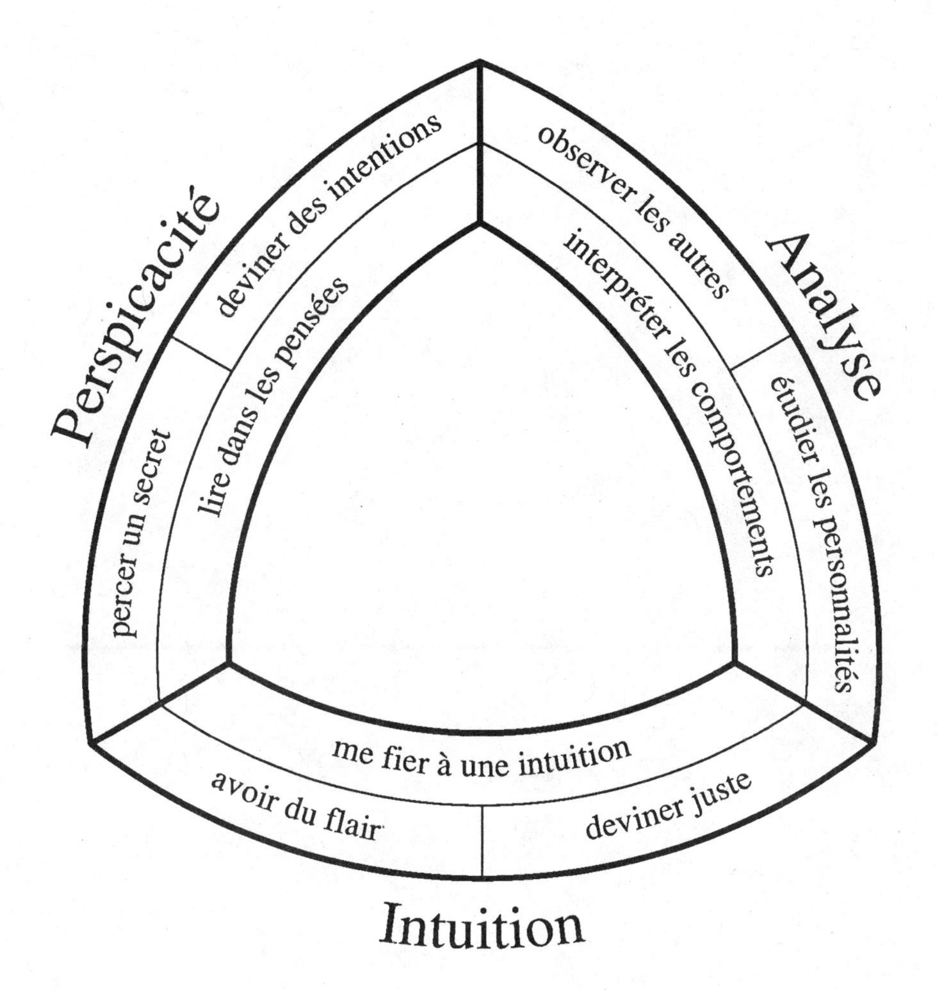

Psychologie

Psychologie + +

Il est difficile de vous cacher quelque chose car le moindre indice vous met la puce à l'oreille. Votre caractère perspicace vous permet de deviner spontanément ce que les gens pensent et ressentent. Si, en votre présence, on parle à mots couverts, vous vous ingéniez à percer le sens de ce qu'on voudrait passer sous silence. Une simple allusion peut devenir pour vous une véritable mine de renseignements. En rassemblant des bribes de conversation, vous éprouvez un réel plaisir à déchiffrer ce genre de message codé. Si on tente de vous dissimuler un secret, votre intuition vous met vite sur la piste. Vous cherchez à soulever le voile des apparences pour découvrir ce qui est enfoui dans les moindres replis des cœurs. Vous savez lire au fond des êtres.

Vous aimez approfondir votre connaissance de l'être humain. Ce penchant pour la psychologie favorise votre compréhension des mentalités les plus diverses. Vous vous appliquez à analyser les émotions des individus que vous rencontrez. L'observation des comportements vous passionne; l'interprétation des physionomies vous captive. Le moindre geste vous en dit long sur l'état d'esprit de la personne qui est devant vous; une seule parole peut contenir tout un discours sur ses problèmes intimes. Vous ne cherchez pas à juger les gens mais plutôt à déceler leurs mobiles en vue de mieux les connaître. Il vous est facile de vous mettre à leur place. En adoptant temporairement leur point de vue, vous pouvez saisir ce qui les pousse à agir. La complexité de l'âme humaine vous fascine.

Comme votre flair vous trompe rarement, vous vous y fiez sans réserve. Vous savez prêter attention à vos plus subtils pressentiments. Pour certaines réalités invisibles qui échappent à la plupart des gens, vous avez un regard perçant. Votre intuition vous fait saisir certains phénomènes que la logique ne peut expliquer en termes clairs. Ce qui pour d'autres n'est qu'impression vague devient au contraire pour vous une précieuse information qui vous éclaire. L'art de deviner juste est un sixième sens qui vous guide instinctivement. Au seuil d'un monde plein de mystère, vous demeurez fidèlement à l'écoute.

Psychologie +

Votre goût pour la psychologie vous prédispose à comprendre la nature humaine. Comme vous aimez analyser les mentalités, l'interprétation des comportements vous est facile. Le monde intérieur des individus vous intrigue; les motifs de leurs actes piquent votre curiosité. Vous vous fiez volontiers à votre première impression pour percevoir ce qui n'est pas du tout évident. Vos pressentiments sont de précieuses sources d'informations que vous savez mettre à profit: vous faites confiance à votre flair. Si on vous cache un secret, vous êtes assez perspicace pour en soupçonner l'existence. Vous prenez plaisir à lire entre les lignes afin de saisir ce qu'on tente de vous dissimuler; arrière-pensées et sous-entendus se trouvent ainsi subtilement dévoilés. Votre intuition vous guide sur la voie qui mène à la découverte des autres.

Psychologie =

Vous accordez peu d'importance à l'analyse psychologique des gens sans toutefois vous en désintéresser. Ni la compréhension de leur comportement ni le dévoilement de leurs secrets ne vous passionnent. Votre intuition est moyenne.

Psychologie −

Le monde intérieur des autres vous échappe facilement car vous n'éprouvez aucun besoin d'étudier les gens qui vous entourent. Vos occupations préférées sont très éloignées de l'analyse des caractères et de l'interprétation des comportements. Vraisemblablement, la psychologie vous ennuie. Lire entre les lignes vous agace: on doit vous parler clairement afin d'être bien compris. Votre faible perspicacité vous empêche en effet de deviner les secrets qu'on vous cache. Vous n'osez pas vous fier à votre intuition; c'est le langage des sens ou de la raison qui vous guide. Il est donc tout naturel que vous négligiez les avertissements subtils de vos pressentiments. L'observation directe des faits concrets vous paraît plus sûre que les impressions subjectives d'un flair trompeur.

Psychologie − −

La psychologie est loin de vous captiver. Chercher à expliquer l'attitude ou l'humeur des gens vous paraît inutile. Même si la conduite des autres vous intrigue parfois, l'analyse de leur comportement est le dernier de vos soucis. Vous les prenez comme ils sont sans tenter d'interpréter les mobiles de leurs actes. Vous laissez à d'autres le soin d'étudier les caractères. Puisque vous ne vous attardez pas à discerner les arrière-pensées, on peut affirmer que tout secret qui ne vous est pas confié reste un secret bien gardé. Vous avez horreur d'avoir à deviner ce que pensent les gens. La communication directe vous semble plus efficace que le déchiffrage des demi-mots et des allusions. Pour vous, un silence qui est supposé en dire long ne signifie pas grand-chose: la clé de cet univers mystérieux vous échappe. Pour être bien compris de vous, on doit parler clairement. Un message vous paraît limpide lorsqu'il est écrit noir sur blanc; s'il est tout en nuances, vous renoncez tout simplement à le décoder. Vos pressentiments ne vous inspirent aucune confiance. Vous trouvez préférable d'écouter votre bon sens et votre raison plutôt que de suivre les impressions vagues de votre intuition.

Chapitre 3
Réflexions

La connaissance de soi

En répondant aux trois pages du test SIGMA, vous avez indiqué les activités que vous **aimez le plus** et celles que vous **aimez le moins**, mais non vos occupations habituelles. Par exemple, pour savoir si vous avez un penchant pour le *Leadership*, on vous demande si vous aimez diriger un groupe et non combien de comités vous présidez. Autrement dit, il ne s'agit pas de décrire votre conduite mais de révéler vos goûts, de dire ce qui vous plairait si les circonstances vous le permettaient.

Or dans la vie, il y a des désirs qu'on ne peut satisfaire pour diverses raisons, des penchants auxquels on ne peut donner libre cours à cause des contraintes que la vie nous impose. Certaines personnes doivent s'adapter à un environnement difficile ou remplir une fonction de travail qui n'est pas toujours une source d'épanouissement. Pour faire face à la réalité quotidienne, on est souvent obligé d'ignorer certains besoins émotionnels.

Il importe de faire une bonne lecture de soi-même et de connaître ses aspirations profondes afin de ne pas se tromper sur ce qu'on est en réalité; sans quoi on risque de se trahir et d'être mal dans sa peau. Quand on a une image faussée de soi, on agit parfois pour des motifs qui ne correspondent pas à ce qu'on ressent. On peut s'illusionner en cultivant des désirs qui masquent ou compensent des déficiences. On entretient ainsi une image de soi qui correspond à ce qu'on voudrait être et non à ce qu'on est vraiment. D'où le danger d'une vive insatisfaction dans nos activités ou dans nos relations avec les autres.

L'estime de soi

Certains individus peuvent se regarder dans un miroir et se trouver laids alors que tout le monde leur attribue une grande beauté. Ils croient à tort que leurs yeux sont trop grands, leur nez trop long, etc. C'est parce qu'ils se voient à travers le voile de leurs émotions qu'ils trouvent déplaisante l'image que leur renvoie le miroir. La perception qu'ils ont d'eux-mêmes est négative; ils ne s'acceptent pas comme ils sont, ni physiquement ni psychologiquement. Ils n'ont qu'une piètre estime d'eux-mêmes: ils ne s'aiment pas.

Ces personnes penseront que leur profil de personnalité n'est pas présentable et hésiteront à en révéler le contenu à des intimes. Pourtant, les textes qui servent à interpréter les résultats ne parlent ni de qualités ni de défauts et encore moins de problèmes psychologiques. Ce n'est pas toujours par souci de confidentialité qu'on tient à garder le secret absolu sur ses traits de caractère. N'ayant pas assez confiance en soi pour se dévoiler comme on est, on tend parfois à se déprécier alors qu'on a mille richesses à découvrir et à exploiter. Très souvent, les gens ont beaucoup plus de valeur qu'ils ne croient. Il n'y a pas juge de soi plus sévère que soi-même. Le regard admiratif des autres parvient à peine à adoucir l'implacable verdict qu'on prononce contre sa propre personne. On ne change ni rapidement ni facilement la perception qu'on a de soi. Quand il faut modifier son point de vue à cet égard, la résistance est bien humaine et tout à fait compréhensible.

Même si on se connaît suffisamment, encore faut-il que nos proches soient informés de nos vrais besoins. Si on n'exprime pas ses préférences, il n'est pas du tout certain que les autres sauront les deviner. C'est pourquoi vous avez tout avantage à faire part de vos résultats à des gens de votre entourage. Certains trouveront profitable d'échanger leurs profils en vue d'engager la discussion; il faut évidemment que la confiance règne. D'autres veilleront à la confidentialité des réponses inscrites dans ce livre comme sur le contenu d'un journal intime. Il vous appartient de juger du degré de discrétion qui vous convient.

À moins de contre-indication, nous croyons qu'il est bon de démystifier l'aspect secret des tests et de communiquer ses résultats en toute simplicité. De la même façon qu'on échange des photos. Tout profil est digne d'être présenté; il importe toutefois de s'adresser à des gens qui savent respecter et apprécier la personnalité d'autrui. Ayez la conviction que vous gagnez à vous faire mieux connaître.

Il se peut que les membres d'une équipe trouvent avantage à se communiquer leurs profils respectifs dans le but d'accroître leur cohésion et leur efficacité. Grâce à une meilleure connaissance de la diversité des caractères, les relations interpersonnelles peuvent recevoir un éclairage propice à l'évolution du groupe et de ses membres.

L'acceptation de soi

On entend parfois ce genre de réflexion: «Mon ambition est faible; il faudrait que je m'efforce de m'améliorer sur ce point.» Cette phrase manifeste un désir de changement qui peut être illusoire et dénote parfois un certain manque d'acceptation de soi. Si le besoin de compétition et de réussite n'est pas élevé chez vous, pourquoi vouloir y changer quelque chose? Simplement parce qu'il ne correspond pas aux attentes de votre milieu? Ce n'est pourtant ni une plaie à soigner ni un défaut à corriger: c'est un trait de caractère qui est là pour rester. Même si on vit dans une société où la concurrence est souvent féroce, mieux vaut s'accepter comme on est que de tenter de jouer un rôle qui ne nous convient pas.

Pourquoi serait-il plus souhaitable d'obtenir *Ambition* ++ qu'*Ambition* -- ? Le système de valeurs sociales d'une époque peut bien favoriser le culte du succès, mais ça n'a rien à voir avec la valeur fondamentale d'une personne. Si l'accomplissement d'un exploit ne vous dit absolument rien, laissez à d'autres les projets ambitieux. Vous avez bien d'autres cordes à votre arc pour vous réaliser et vous épanouir. Déterminez vos objectifs en fonction de ce que vous êtes vraiment.

La répartition des attributs humains en qualités et défauts a quelque chose d'artificiel. Hors contexte, ce genre de distinction n'a pas de sens. Certaines personnes considèrent tels traits de caractère chez les autres comme des qualités alors que d'autres ne peuvent même pas les supporter. Tout dépend donc des individus en présence. On a tendance à apprécier chez les autres les traits de caractère qu'on possède soi-même et à vouloir corriger chez autrui certains aspects de soi qu'on n'aime pas. En pratique, chaque personne cherche à s'entourer de gens qui lui renvoient une image positive d'elle-même. Voilà qui peut expliquer le choix réciproque des amoureux qui se découvrent des affinités alors que des tierces personnes se demandent: «Qu'est-ce qu'il ou elle peut bien avoir pour lui plaire?»

Le même type de raisonnement s'applique au domaine du travail. Dans l'absolu, l'expression «Je suis inapte» n'a aucun sens. Il y a des occupations qui conviennent à notre caractère et d'autres qui nous répugnent. Il s'agit donc de choisir les tâches où nos traits de personnalité se révèlent des atouts. Selon les circonstances, ce qui est qualité devient défaut et vice-versa. Voilà pourquoi on ne devrait jamais se déprécier. Mieux vaut choisir les secteurs d'activité où on a le sentiment de se mettre en valeur en exploitant ses ressources.

Votre profil de personnalité est aussi valable que celui de toute autre personne. Si vous avez la chance de l'apprécier, tant mieux pour vous car nous n'en avons pas d'autre à vous proposer! Un miroir ne fait que refléter ce qu'on lui présente: il ne fait ni compliment ni reproche. Le contentement ou l'insatisfaction est dans l'esprit de la personne qui se regarde.

L'acceptation de l'autre

Bien des illusions et déceptions accompagnent les débuts de la vie de couple. Qui n'a pas déjà entendu dire: «Quand nous vivrons ensemble, je vais changer ses habitudes et modifier son caractère»? Résultat: l'autre conserve la même personnalité. Et si on étouffe ses besoins profonds en essayant de changer radicalement son comportement, il y aura tôt ou tard une note à payer. Un adulte ne peut évoluer que de l'intérieur; vouloir le transformer contre sa volonté est une grave illusion. «Chassez le naturel, il revient au galop», dit le proverbe.

Des gens bien intentionnés peuvent fausser notre perception de nous-même en nous proposant ou en nous imposant des buts qui ne nous conviennent pas. Combien de parents tentent de réaliser à travers leurs enfants les objectifs qu'ils auraient aimé atteindre, de concrétiser leurs rêves de jeunesse ou de réparer leurs erreurs passées. Par personne interposée, ils cherchent inconsciemment à combler leurs propres lacunes. L'orientation professionnelle du fils ou de la fille est parfois compromise par l'ingérence directe ou la pression subtile du père ou de la mère.

Or les adolescents ont leur propre personnalité à développer, leurs talents à exploiter, leurs besoins à satisfaire. Comme ils n'ont pas le même caractère que leurs parents, ils doivent apprendre qui ils sont afin de trouver la voie qui leur convient. Leur dicter leur destination risque fort de brouiller les pistes et de ne les mener nulle part. Les parents qui veulent le bien de leurs enfants compliquent parfois leur orientation par des interventions qui ne respectent ni leurs ressources ni leur liberté.

Quand de jeunes adultes s'apprêtent à former un couple, ils veulent choisir une compagne ou un compagnon de vie qui convient à leur caractère et à leurs besoins, non aux exigences de leurs parents. Les conseils de ces derniers, si judicieux soient-ils, risquent d'avoir un effet négligeable ou négatif sur la décision déjà prise.

On a tendance à penser que les autres aiment ce qui nous plaît et détestent ce qui nous répugne. Par exemple, on offre souvent le cadeau qu'on espère recevoir. Il faut constamment se rappeler que l'autre a ses goûts particuliers et s'efforcer de bien identifier ses besoins qui peuvent différer radicalement des nôtres. Ce n'est toutefois pas une tâche facile.

L'économie d'énergie

Pour bien fonctionner, on peut jouer un rôle actif en tenant compte des tendances de son caractère. Il consiste, entre autres, à choisir les activités, les situations, les personnes qui font qu'on est bien dans sa peau et à éviter les facteurs qui, à la longue, nous agacent et nous épuisent. On peut avantageusement réaliser des économies d'énergie mentale en éliminant, dans la mesure du possible, certaines causes de stress.

Dans le domaine des relations personnelles, l'économie d'énergie est favorisée par la communication. Quand les partenaires s'expliquent et font état de leurs frustrations, chaque personne est au courant de l'état émotionnel de l'autre. Au lieu de laisser monter la tension par un silence qui masque une insatisfaction profonde, mieux vaut faire toute la lumière sur la source d'un désaccord.

Une bonne mise au point permet de part et d'autre d'alléger un climat malsain. L'expression «se vider le cœur» est très juste. Une fois que les émotions ont trouvé le chemin des mots ou des larmes pour s'exprimer, la tension tombe et la paix revient: le cœur est moins lourd.

L'adaptation réciproque est parfois ardue car il y a des êtres avec qui on a des affinités et d'autres qui ne nous conviennent pas malgré toute la valeur qu'on leur reconnaît. Il importe donc de bien faire ses choix afin de s'entourer le plus possible de gens avec qui on se sent en harmonie. Ce genre de sélection a évidemment ses limites puisqu'on ne choisit pas, par exemple, les membres de sa parenté ni ses partenaires de travail ni ses voisins.

En principe, tous les humains désirent le maximum de bien-être et de paix mais ils n'y parviennent pas tous avec le même succès. Heureusement, les liens privilégiés de l'amitié et de l'amour suscitent le respect et la valorisation réciproques. De telles complicités permettent, de part et d'autre, de recharger ses batteries en faisant le plein d'affection.

L'approche active

On n'a rien à gagner et tout à perdre en pleurant sur son sort comme une victime passive et impuissante. Quand on a déjà renoncé à se prendre en main et à se mettre en marche, personne d'autre ne nous conduira à destination. Même si la marge de manœuvre semble mince, chaque être a un rôle actif à jouer dans la conduite de sa propre existence en restant conscient des atouts qu'il a en mains et de ceux qui lui manquent. Personne ne détient quatre as au départ!

Quoi qu'il en soit, en connaissant mieux les traits de notre caractère, les motifs qui nous poussent à agir et les activités qui nous répugnent, on peut évoluer de façon plus éclairée. Une saine stratégie consiste à exploiter ses ressources au maximum en évitant de se lamenter sur ses handicaps. Au lieu de perdre une énergie considérable à tenter de corriger ses défauts, il vaut infiniment mieux s'appliquer à développer ses qualités. Progressivement, ce qu'il y a de meilleur occupe de plus en plus de place et chasse ce qui est indésirable. L'alcoolique qui se réhabilite ne fait pas qu'arrêter de boire: il apprend à s'accepter et à s'aimer dans ce qu'il a de bon. Il se réconcilie d'abord avec lui-même, puis avec les autres.

Dans une relation, chaque partenaire gagne à être soi-même. En principe, la réalisation de soi n'empêche pas l'épanouissement de l'autre. Chaque personne doit néanmoins définir les limites de son territoire pour résister aux empiétements qui l'affectent émotivement. À toujours faire toutes les concessions, on risque de faire le bonheur de l'autre au détriment du sien. Il en va du psychologique comme du physique: pour éviter l'asphyxie, il faut respirer sa juste part d'oxygène.

Ce n'est pas tant la lecture d'un texte qui vous fera progresser que la lecture de vous-même. Ce livre-test est un instrument de travail et non un échafaudage de théories. Il ne vise qu'à vous renvoyer l'image de votre personnalité représentée par le profil de vos besoins affectifs. C'est sur ce portrait que nous vous invitons à vous pencher.

Pour stimuler cette réflexion, il n'y a rien de tel qu'un échange à cœur ouvert avec une personne qui a toute votre confiance. Les liens étroits de l'amour ou de l'amitié créent un climat favorable à l'approfondissement de votre connaissance de vous-même. N'hésitez donc pas à communiquer votre profil de personnalité aux êtres qui vous sont chers. Y renoncer serait vous priver d'un enrichissement qui vaut bien plus que l'exposé d'un psychologue. La valeur de ce volume repose essentiellement sur ce que vous en ferez.

La santé mentale

Une question qui ne manquera pas de venir à l'esprit de plusieurs est la suivante: «Est-ce que mon profil est celui d'une personne mentalement en santé?» Au risque de vous décevoir, nous répondrons honnêtement que nous n'en savons rien.

D'abord, parce qu'il existe de multiples définitions de la santé mentale. De plus, parce qu'un psychologue consciencieux ne formulera pas un diagnostic à distance sans situer le profil de personnalité dans le contexte global de la vie psychologique et sociale d'une personne. Enfin, parce que nous avançons l'hypothèse qu'un sujet malade et un autre en santé peuvent présenter des profils semblables. Ils peuvent avoir les mêmes tendances mais l'un fonctionne adéquatement tandis que l'autre éprouve une grande détresse.

Entre la maladie et la santé, il y a le plus souvent, non pas une frontière bien nette mais une zone floue. En d'autres termes, on peut considérer que c'est une question de degrés. Sur le plan psychologique, une séparation, un deuil, un échec ou tout autre événement bouleversant peuvent avoir de sérieuses répercussions chez tout être équilibré pendant une période plus ou moins longue. Pourquoi ne pas reconnaître en toute simplicité qu'il est normal «d'avoir mal à ses émotions» tout comme on a mal à la tête ou au dos? N'est-il pas sage d'aller chercher une aide professionnelle quand la douleur est trop aiguë?

Sur le plan physique comme sur le plan mental, l'équilibre est un idéal qu'on recherche et qui est constamment remis en cause par les facteurs de stress inhérents à l'existence. Nous posons en principe que l'arbre tombe du côté où il penche. Tout être humain a des penchants et si la maladie vient le terrasser, il basculera du côté où il est le plus vulnérable. Ce sont ces prédispositions tant physiques que psychologiques qui permettent de mieux résister à certaines maladies et de succomber plus facilement à d'autres.

Tout individu en santé peut un jour tomber malade, dans son corps comme dans son âme, et souvent dans les deux simultanément. Si cela se produit, nous croyons que, suivant son profil de personnalité, un sujet aura tendance à éprouver tel ensemble de symptômes. Par exemple, si quelqu'un aime beaucoup l'ordre, la maladie pourra se manifester par une forme d'obsession de la propreté et une manie incontrôlable de tout vérifier. Mais en situation normale, le souci du détail favorise le travail de bureau et bien d'autres fonctions et n'a en soi rien de maladif.

Il ne faudrait pas penser que la psychologie contemporaine se base sur des théories définitives alors qu'elle est en constante évolution. Si divers types de thérapies individuelles, de couples ou de groupes donnent des résultats, c'est qu'elles mobilisent essentiellement les ressources de la clientèle. En psychologie comme en médecine, on part du principe que la source de la santé réside dans la personne qui demande de l'aide. Les professionnels ou autres intervenants ne servent qu'à mobiliser ces ressources en acceptant chaleureusement l'individu tel qu'il est, sans le juger, afin qu'il en vienne à mieux se connaître, à s'accepter et à s'aimer.

C'est là le genre d'approche thérapeutique privilégié par Carl Rogers[3]. Selon ce dernier, tout être humain éprouve le besoin fondamental de développer pleinement son potentiel et évolue en devenant de plus en plus lui-même. En psychothérapie, plus la personne progresse, plus son identité s'affirme et plus elle agit conformément à ses désirs profonds. Certaines illusions disparaissent pour faire place à la réalité du vrai moi.

Profils de couples

Les deux membres d'un couple peuvent vivre côte à côte pendant de longues années en ignorant presque tout l'un de l'autre, avec les conséquences que cela entraîne dans la vie émotionnelle de chaque partenaire. La communication exige certes des efforts mais elle favorise une meilleure compréhension réciproque et un mieux-être partagé. Ce sont les vieux amoureux qui, après de longues explications et parfois d'âpres disputes, peuvent ensuite se deviner sans dire un mot. Mais avant que le silence ne soit éloquent, il faut souvent recourir au langage parlé... ou écrit.

En glissant la poussière sous le tapis par crainte d'entreprendre le ménage qui s'impose, le couple se réserve parfois des lendemains douloureux. Le silence résigné ou obstiné dissimule souvent une bombe à retardement qui menace d'éclater tôt ou tard et de faire des victimes. Si l'autre montre quelque réticence à engager le dialogue, pourquoi ne pas amorcer la

3. C. R. Rogers, *On becoming a person*, Boston, Houghton Mifflin, 1961.

discussion en lui faisant part de votre profil? N'avez-vous rien à perdre et tout à gagner? Ce livre-test vous fournit une précieuse occasion de tenter l'expérience d'échanges constructifs. Même si vous êtes la seule personne du couple à avoir répondu au test et à transmettre votre profil, c'est une excellente façon de faire les premiers pas en exposant à l'autre vos besoins et en l'invitant implicitement à faire de même.

À votre intention, nous aurions pu fouiller toute la littérature psychologique concernant la compatibilité des caractères des partenaires qui réussissent à harmoniser leur vie commune. Est-ce que les contraires s'attirent ou se repoussent? Est-ce que certains contraires se concilient et se complètent? Y a-t-il des constantes de tempérament, des points communs chez les couples qui parviennent à s'entendre? Ou n'y a-t-il pas plutôt une grande variété de combinaisons gagnantes qui défient parfois les lois du bon sens ou de la science?

Nous avons délibérément choisi de ne vous livrer aucune donnée scientifique sur la question. D'abord pour ne pas laisser planer l'impression qu'il y a en ce domaine des recettes miracles. Aussi pour éviter que l'exposé ne prenne une tournure intellectuelle qui viendrait obscurcir plutôt qu'éclairer votre vie de couple. En cette matière, les théories savantes vous éloigneraient des réalités que vous vivez à deux. Il n'est pas souhaitable qu'une tierce personne, même par le biais d'un volume, intervienne dans votre vie commune. Mais la principale raison pour laquelle nous évitons tout exposé scientifique est que nous faisons confiance à vos ressources et à celles de votre partenaire pour tirer avantage des deux profils que vous avez tracés.

On ne progresse pas en se contentant de déclarer: «C'est le psychologue qui l'a dit.» Ce sont vos découvertes personnelles en interaction avec votre entourage qui peuvent vous faire avancer. Le test SIGMA ne prétend nullement résoudre les questions mais vise à mettre sur la piste les individus désireux de mieux se connaître personnellement ou réciproquement. Il veut être le miroir de vos tendances et vous fournir un instrument de réflexion et de discussion.

Chapitre 4

Réévaluation

Fiabilité des réponses

Il y a divers facteurs qui peuvent faire varier les réponses à un test. On peut difficilement imaginer que quelqu'un puisse obtenir exactement les mêmes résultats en repassant le test après quelques mois. Il faut se rappeler que les scores de chacune des 21 dimensions peuvent s'échelonner de 3 à 15. Tout score qui ne varierait que d'un seul point en plus ou en moins après quelques mois devrait être considéré comme stable.

Or, si on consulte la page 31, on constate qu'il suffit d'obtenir 5 au lieu de 4 à la dimension *Leadership* pour glisser du niveau ++ au niveau + . L'individu se situera quand même au-dessus de la moyenne pour cette dimension, mais de façon moins accentuée. Le résultat conserve donc sa valeur indicative et participe à l'élaboration du portrait global en le modifiant légèrement.

Les différences entre les résultats après plusieurs mois peuvent certes dépendre d'inévitables distractions, mais il y a plus que cela. Un être humain n'est pas un automate; il peut connaître des moments de grande tension. Le contexte émotionnel dans lequel on se trouve peut affecter les résultats du test à des degrés divers selon les individus et les circonstances.

Voilà pourquoi on vous invitait, au début de ce livre, à vous abstenir de répondre à ce questionnaire si vous étiez sous le coup d'une forte émotion ou dans un état de grande fatigue. En de telles périodes, on éviterait même de se présenter chez le photographe de crainte de voir fixés sur la pellicule une mine triste ou des yeux cernés! Pour le test, il n'importe pas tant de paraître à son avantage que de rendre justice à sa véritable personnalité.

Ces réserves étant faites, il ne faut pas en conclure que les besoins affectifs évalués par le test SIGMA sont si instables qu'ils reflètent la moindre fluctuation d'humeur. Même s'il peut être influencé par un état d'esprit passager, le profil mesure des traits de caractère qui sont plutôt constants chez l'adulte. Tout comme une photo permet de se reconnaître même si on n'était pas en grande forme au moment de la pose, ainsi le portrait psychologique est assez stable pour qu'on puisse se ressembler plusieurs années plus tard.

Il y a cependant des changements susceptibles d'affecter le profil de personnalité de façon durable et qui traduisent une évolution réelle. Compte tenu des expériences vécues par chaque être, certains besoins peuvent s'estomper et d'autres s'accentuer. En général, il est normal que la sexualité, sous son aspect érotique, tende, avec l'âge, à occuper une place moins importante dans l'ensemble des besoins tandis que le conformisme augmente. Il s'agit évidemment d'intervalles de plusieurs années.

Fiabilité du test

Il y a une autre catégorie de facteurs qui peuvent faire varier votre profil; ils dépendent de la nature même d'un test.

Grâce à des expérimentations rigoureuses et à l'emploi de formules statistiques appropriées, un test scientifique tend vers la plus grande précision possible. Les sources d'erreurs sont ainsi contrôlées mais pas totalement éliminées. Lorsqu'il s'agit d'évaluer des dimensions psychologiques et en particulier des traits de caractère, on est dans le domaine du probable et non de la certitude absolue.

Plus les unités de mesure d'une règle ou d'une balance sont petites, plus la précision qu'on peut obtenir est grande. Or nous avons intentionnellement adopté des unités de mesure qui simplifient les calculs. En guise de compromis, nous estimons que la répartition en 5 niveaux, tant sur le plan des réponses que dans l'établissement du profil, permet des distinctions suffisantes entre les résultats des 21 dimensions pour tracer votre profil psychologique.

Par exemple, 3 ensembles de 3 items évaluent votre niveau

de *Leadership*. C'est une simplification technique et un raccourci pratique qui permettent d'évaluer rapidement chacun des 21 besoins psychologiques. Le résultat obtenu aurait évidemment été plus fiable si on vous avait demandé de répondre à une série de 25 questions pour une même dimension.

Par ailleurs, pour chaque dimension, nous avons délibérément choisi de regrouper 50% des gens autour de la moyenne. Comme nous avons prudemment évité de nous prononcer dans cette large zone médiane, les énoncés qui s'appliquent aux 2 niveaux positifs (++ et +) et aux 2 niveaux négatifs (– – et –) prennent ainsi plus de relief: ils ne s'appliquent qu'à vos penchants les plus prononcés par rapport à la moyenne des gens. Pour passer du niveau – au niveau +, il faut franchir un intervalle où se trouvent 50% des individus. Cette zone tampon permet difficilement à un résultat négatif de devenir positif et vice-versa. Voilà le niveau de sécurité qui nous a paru souhaitable. Dans un profil type, environ une dizaine de dimensions se situent au niveau moyen et reçoivent de brefs commentaires tandis que les autres dimensions suscitent des interprétations élaborées.

En adoptant ces compromis, nous avons tenté de vous présenter un instrument de mesure qui, en réduisant le nombre et la complexité des opérations, puisse assurer un maximum de fiabilité. De fait, un test psychologique n'est pas plus infaillible que l'être humain qui y répond.

Quant aux interprétations du chapitre 2, elles ne sauraient en aucune façon avoir un caractère absolu. Nous estimons toutefois que l'ensemble des informations qu'elles fournissent est valable au même titre qu'un portrait un peu caricatural permet de reconnaître quelqu'un sans hésitation.

Par exemple, pour tout résultat de niveau très élevé (++), nous proposons 3 paragraphes qui correspondent aux 3 composantes d'une dimension. Il se peut très bien que certains contenus de ces paragraphes ne s'appliquent pas à vous ou qu'un paragraphe en particulier vous décrive mal; vous ne devez pas vous en étonner. Il importe de considérer le portrait d'ensemble plutôt que de s'attarder aux détails. Si 9 commentaires sur 10 sont justes, ils vous permettront de vous reconnaître ou de mieux vous connaître. En demandant l'opinion d'une personne avisée, vous pourrez vérifier le bien-fondé de certaines interprétations qui peuvent vous étonner ou vous choquer.

Les textes qui vous sont proposés ne prétendent nullement faire autorité; ils veulent plutôt vous mettre sur la piste d'une réflexion constructive enrichie par une discussion avec des proches qui vous connaissent bien.

Seconde évaluation

Afin d'obtenir une évaluation plus précise de votre personnalité, nous vous invitons, après un intervalle d'au moins 6 mois, à répondre au test une seconde fois et à comparer vos deux profils.

À cette fin, nous vous présentons ci-après les 3 pages du test sur lesquelles vous répondrez de la même façon que la première fois. Pour éviter l'influence indésirable de la mémoire, abstenez-vous de consulter le profil déjà tracé sur le signet et les réponses déjà données au début du livre. Ce n'est qu'après avoir inscrit vos réponses et compilé vos résultats une seconde fois que vous pourrez tirer profit de telles comparaisons.

Quelques mois plus tard...

A) Parmi les 21 types d'activités de la page 187, choisissez ceux **que vous aimez le plus** et inscrivez ***1*** dans au moins 3 cases mais dans pas plus de 5 cases. ▶ Ex. ***1***

B) Parmi les types d'activités qui restent, choisissez ceux **que vous aimez le moins** et inscrivez ***5*** dans au moins 3 cases mais dans pas plus de 5 cases. ▶ Ex. ***5***

C) Parmi les types d'activités qui restent, choisissez ceux **que vous aimez le plus** et inscrivez ***2*** dans au moins 3 cases mais dans pas plus de 5 cases. ▶ Ex. ***2***

D) Parmi les types d'activités qui restent, choisissez ceux **que vous aimez le moins** et inscrivez ***4*** dans au moins 3 cases mais dans pas plus de 5 cases. ▶ Ex. ***4***

E) Inscrivez ***3*** dans les cases restées vides. ▶ Ex. ***3***

convaincre les gens, donner des conseils, influencer les autres .... ☐

rechercher la tranquillité, vivre dans l'harmonie, bien m'entendre avec tous ☐

avoir du prestige, être en évidence, avoir bonne réputation .... ☐

consoler les gens, encourager quelqu'un, témoigner ma sympathie ...... ☐

réaliser mes ambitions, jouer pour gagner, réussir à tout prix .... ☐

enrichir ma vie intérieure, cultiver ma spiritualité, me livrer à la méditation ☐

mûrir un projet, réfléchir avant d'agir, prévoir les obstacles .... ☐

faire une sortie, voir du pays, changer d'environnement .... ☐

tendre vers l'excellence, réaliser mon idéal, rechercher la perfection ..... ☐

me lier amoureusement, former un couple, vivre un grand amour .... ☐

travailler dur, résister à la fatigue, avoir de l'endurance .... ☐

recevoir des cadeaux, me faire bien soigner, être l'objet de gentillesses ... ☐

ne rien devoir à personne, taire mes soucis, garder mon indépendance .... ☐

travailler en équipe, participer à un projet, m'associer à des partenaires ... ☐

faire ce qui me plaît, agir à ma guise, vivre selon ma fantaisie .... ☐

recevoir des suggestions, suivre un bon conseil, tenir compte d'un avis ... ☐

tenter ma chance, faire un pari, jouer quitte ou double .... ☐

respecter les convenances, suivre les coutumes, faire comme les autres ... ☐

défendre une cause, faire valoir mes droits, combattre une injustice ...... ☐

tenir une comptabilité, dresser un inventaire, classer des documents ..... ☐

percer un secret, deviner des intentions, lire dans les pensées .... ☐

A) Parmi les 21 types d'activités de la page 189, choisissez ceux **que vous aimez le plus** et inscrivez ***1*** dans au moins 3 cases mais dans pas plus de 5 cases. — Ex. ***1***

B) Parmi les types d'activités qui restent, choisissez ceux **que vous aimez le moins** et inscrivez ***5*** dans au moins 3 cases mais dans pas plus de 5 cases. — Ex. ***5***

C) Parmi les types d'activités qui restent, choisissez ceux **que vous aimez le plus** et inscrivez ***2*** dans au moins 3 cases mais dans pas plus de 5 cases. — Ex. ***2***

D) Parmi les types d'activités qui restent, choisissez ceux **que vous aimez le moins** et inscrivez ***4*** dans au moins 3 cases mais dans pas plus de 5 cases. — Ex. ***4***

E) Inscrivez ***3*** dans les cases restées vides. — Ex. ***3***

diriger un groupe, être le chef, avoir de l'autorité .... ☐

parvenir à un accord, faire des concessions, accepter un compromis ..... ☐

faire bonne impression, paraître à mon avantage, avoir de la distinction ... ☐

me sacrifier volontiers, pardonner aux autres, me dévouer généreusement . ☐

relever un défi, arriver en tête, entrer en compétition .... ☐

me connaître à fond, expliquer mes réactions, analyser mes émotions .... ☐

établir un système, organiser mes activités, travailler avec méthode ...... ☐

chercher à me distraire, bien m'amuser, me changer les idées .... ☐

poursuivre jusqu'au bout, atteindre mes objectifs, achever un travail ..... ☐

parler d'amour, être romantique, exprimer mon affection .... ☐

dépenser mon énergie, trouver à m'occuper, déborder de vitalité .... ☐

me faire pardonner, recevoir du réconfort, trouver de la compréhension .. ☐

tenir à mes idées, me fier à mon jugement, trouver ma propre solution .... ☐

rencontrer les gens, me lier d'amitié, connaître beaucoup de monde ..... ☐

vivre ma vie, fuir les contraintes, être libre comme l'air .... ☐

m'excuser d'une erreur, reconnaître mes torts, faire acte d'humilité ...... ☐

aller vers l'inconnu, tenter des expériences, rechercher la nouveauté ..... ☐

observer la loi, suivre les directives, obéir aux règlements .... ☐

dire ce que je pense, mettre cartes sur table, m'expliquer sans détours .... ☐

mettre de l'ordre, ranger mes affaires, disposer les objets correctement ... ☐

observer les autres, étudier les personnalités, interpréter les comportements ☐

A) Parmi les 21 types d'activités de la page 191, choisissez ceux **que vous aimez le plus** et inscrivez ***1*** dans au moins 3 cases mais dans pas plus de 5 cases. — Ex. *1*

B) Parmi les types d'activités qui restent, choisissez ceux **que vous aimez le moins** et inscrivez ***5*** dans au moins 3 cases mais dans pas plus de 5 cases. — Ex. *5*

C) Parmi les types d'activités qui restent, choisissez ceux **que vous aimez le plus** et inscrivez ***2*** dans au moins 3 cases mais dans pas plus de 5 cases. — Ex. *2*

D) Parmi les types d'activités qui restent, choisissez ceux **que vous aimez le moins** et inscrivez ***4*** dans au moins 3 cases mais dans pas plus de 5 cases. — Ex. *4*

E) Inscrivez ***3*** dans les cases restées vides. — Ex. *3*

donner des directives, expliquer une tâche, superviser un travail .... ☐

prévenir tout conflit, éviter les disputes, faire la paix .... ☐

susciter l'admiration, chercher à me distinguer, mériter des félicitations .. ☐

porter secours, donner un coup de main, rendre service .... ☐

tenter l'impossible, battre un record, accomplir un exploit .... ☐

réfléchir sur la vie, me poser des questions, m'interroger sur l'univers ... ☐

établir un programme, procéder par étapes, planifier mon travail .... ☐

fuir la routine, modifier mes projets, varier mes activités .... ☐

persister dans une voie, surmonter les obstacles, me montrer tenace ..... ☐

m'épanouir sexuellement, plaire physiquement, vivre ma sexualité ...... ☐

m'engager à fond, me dépenser sans compter, travailler avec enthousiasme ☐

me sentir à l'abri, chercher protection, vivre en sécurité .... ☐

subvenir à mes besoins, ne compter que sur moi, savoir me débrouiller ... ☐

me lier aux autres, me joindre à un groupe, appartenir à une organisation . ☐

n'avoir aucun rendez-vous, avoir du temps libre, disposer de loisirs ...... ☐

respecter les gens, écouter attentivement, laisser les autres s'exprimer .... ☐

prendre des risques, affronter le danger, éprouver des sensations fortes ... ☐

accomplir mon devoir, avoir des principes, respecter la morale .... ☐

répondre du tac au tac, répliquer à la critique, riposter vivement .... ☐

adopter une routine, travailler avec minutie, voir aux moindres détails .... ☐

avoir du flair, deviner juste, me fier à une intuition .... ☐

Calcul des 21 scores

La page 29 vous rappelle la façon dont vous avez déjà fixé les pages du test à l'aide de trombones afin d'inscrire le total de chaque ligne sur une quatrième page. Faites de même avec les pages 187, 189 et 191 en vue d'inscrire à la page 193 le total de chaque ligne.

Pour plus de sûreté, veuillez calculer à nouveau les 21 scores de la page 193.

Établissement du profil

À la page 193, vous avez inscrit 21 scores qui varient de 3 à 15. Comparez chacun de ces scores aux nombres indiqués sur chaque ligne dans les 5 cases de gauche. Selon l'intervalle dans lequel se situe le score obtenu, hachurez une des 5 cases sur chacune des 21 lignes. Après avoir ainsi tracé votre second profil, veuillez consulter le paragraphe suivant.

Transcription sur le signet

Voici le moment de transposer vos résultats sur le signet qui contient déjà votre premier profil. Pour distinguer les 2 profils, utilisez une encre *de couleur différente*. Cette fois cependant, nous vous recommandons de hachurer les cases en traçant des lignes obliques *dans l'autre sens*. Vous pourrez ainsi comparer d'un seul coup d'œil les deux profils superposés.

	++	+	=	–	– –	
Leadership	3-4	5-6	7-12	13	14-15	
Pacifisme	3	4	5-8	9-10	11-15	
Fierté	3-4	5	6-9	10-11	12-15	
Sollicitude	3	4-5	6-9	10	11-15	
Ambition	3-5	6-7	8-12	13-14	15	
Introspection	3	4	5-10	11-13	14-15	
Méthode	3	4-5	6-9	10-11	12-15	
Changement	3-4	5	6-9	10-11	12-15	
Persévérance	3-4	5	6-9	10-11	12-15	
Sexualité	3	4	5-8	9-10	11-15	
Énergie	3-4	5	6-9	10-11	12-15	
Dépendance	3-5	6	7-10	11-12	13-15	
Autonomie	3	4-5	6-9	10	11-15	
Association	3-4	5-6	7-10	11-12	13-15	
Liberté	3-5	6-7	8-11	12-13	14-15	
Déférence	3-4	5-6	7-10	11	12-15	
Audace	3-7	8-9	10-13	14	15	
Conformisme	3-6	7-8	9-12	13-14	15	
Agressivité	3-5	6	7-10	11-12	13-15	
Ordre	3-5	6-7	8-12	13	14-15	
Psychologie	3-4	5	6-10	11-12	13-15	

Comparaison des deux profils

Il serait étonnant que les 2 résultats de chacune des 21 dimensions soient identiques. Pour déterminer à quel résultat vous devez vous fier, veuillez appliquer les règles suivantes:

a) Si vous avez hachuré 2 fois la même case, le résultat est considéré comme *stable* et donc très fiable. Vous pouvez relire le texte correspondant si vous le désirez.

b) Si vous avez hachuré 2 cases qui se suivent (ex.: + et =), le résultat est considéré comme a*cceptable* mais, par mesure de prudence, il est recommandé d'adopter celui qui se trouve le plus près de la moyenne. Par exemple, = l'emporte sur + alors que – l'emporte sur – – .

c) Si vous avez hachuré 2 cases qui ne se suivent pas (ex.: ++ et =), les résultats sont considérés comme *inconstants* (et même *contradictoires* si l'un est positif et l'autre négatif). Dans ce cas, il vaut mieux s'abstenir de toute interprétation car on ne peut se fier ni au premier ni au second résultat.

Si vous avez obtenu plusieurs résultats *inconstants* et même un seul résultat *contradictoire*, c'est tout le profil qui devient douteux. On peut supposer que vous vous connaissez mal et que vous n'avez pas une idée précise de vous-même. Une bonne discussion à ce sujet avec quelqu'un qui vous connaît bien serait tout indiquée.

Un autre point de vue

Dans l'interprétation de votre profil, le point de vue d'une autre personne peut apporter un éclairage utile même si vos résultats sont très constants. En effet, si on continue d'entretenir les mêmes illusions sur son caractère, le profil sera très stable mais pas nécessairement véridique. Il importe de se rappeler que l'établissement d'un profil repose essentiellement sur le regroupement des réponses que vous avez fournies. En portant inconsciemment le même masque à deux reprises, on se reconnaît forcément; mais les autres nous reconnaissent-ils? C'est pourquoi il est bon de consulter à ce sujet son entourage immédiat en vue de se percevoir le plus objectivement possible.

À cette fin, nous présentons, à la page suivante, une fiche d'évaluation qui résume les 21 dimensions. Chaque dimension est illustrée par 3 activités représentant ses 3 composantes. Vous pouvez inviter une personne qui vous connaît bien à inscrire le signe + vis-à-vis de 5 types d'activités qu'à son avis vous aimez le plus et le signe – vis-à-vis de 5 types d'activités que, d'après elle, vous aimez le moins; les autres cases demeurent vides. Il sera ensuite intéressant de comparer ces évaluations avec le profil que vous avez vous-même établi. Sans chercher à provoquer un débat, il peut être révélateur et profitable de part et d'autre d'engager la discussion sur les écarts d'évaluation les plus importants. Cet exercice amical peut aider deux intimes à se connaître davantage, surtout s'il y a échange de profils.

Troisième évaluation

Il n'est bien sûr aucunement interdit de répondre au test une troisième fois en respectant un intervalle d'au moins 6 mois (en cachant les réponses déjà données et en recourant à une troisième couleur). Pour chaque dimension, on appliquera les règles suivantes:

a) Si la même case est hachurée 3 fois, la stabilité est parfaite. On peut consulter sans hésitation le texte correspondant à ce niveau.

b) Si les 3 résultats se retrouvent dans 2 cases qui se suivent, on adopte le niveau hachuré deux fois et on consulte le texte correspondant.

c) Toute autre combinaison doit être considérée douteuse et inacceptable. Dans ce cas, aucun texte ne s'applique puisque la dimension ne peut être estimée de façon fiable.

Fiche d'évaluation

Leadership: convaincre les gens, avoir de l'autorité, superviser un travail . . . ☐

Pacifisme: vivre dans l'harmonie, faire des concessions, éviter les disputes . . ☐

Fierté: avoir du prestige, paraître à son avantage, chercher à se distinguer . . . ☐

Sollicitude: consoler les gens, se dévouer généreusement, rendre service . . . . ☐

Ambition: réussir à tout prix, entrer en compétition, accomplir un exploit . . . ☐

Introspection: cultiver sa spiritualité, s'analyser à fond, réféchir sur la vie . . . ☐

Méthode: réfléchir avant d'agir, organiser ses activités, planifier son travail . ☐

Changement: voir du pays, chercher à se distraire, fuir la routine . . . . ☐

Persévérance: viser la perfection, achever un travail, vaincre les obstacles . . . ☐

Sexualité: former un couple, être romantique, s'épanouir sexuellement . . . . . ☐

Énergie: résister à la fatigue, déborder de vitalité, travailler avec entrain . . . . ☐

Dépendance: se faire bien soigner, recevoir du réconfort, vivre en sécurité . . ☐

Autonomie: garder son indépendance, tenir à ses idées, savoir se débrouiller . ☐

Association: travailler en équipe, rencontrer les gens, se joindre à un groupe . ☐

Liberté: agir à sa guise, fuir les contraintes, avoir du temps libre . . . . ☐

Déférence: suivre un conseil, reconnaître ses torts, écouter attentivement . . . ☐

Audace: faire un pari, tenter des expériences, prendre des risques . . . . ☐

Conformisme: suivre les coutumes, observer la loi, avoir des principes . . . . . ☐

Agressivité: faire valoir ses droits, dire ce qu'on pense, riposter vivement . . . ☐

Ordre: tenir une comptabilité, ranger ses affaires, voir aux moindres détails . ☐

Psychologie: percer un secret, interpréter les comportements, avoir du flair . . ☐

Conclusion

Éducation, hérédité et liberté

Les parents ont certes une influence sur la formation du caractère de leur enfant, mais le bébé naissant qu'ils doivent éduquer a déjà un tempérament de base déterminé lors de sa conception. Dès sa venue au monde, il se distingue des autres bébés par sa façon de dormir, de boire, de pleurer. Le bagage héréditaire, qui fixe la couleur des yeux et des cheveux, joue un rôle important dans les dispositions psychologiques de tout être humain.

L'éducation vise à modifier le tempérament de base pour former le caractère. Celui-ci résulte d'une interaction complexe de ce qui est programmé dans les chromosomes et de ce qui vient de l'apprentissage. En vue d'intégrer l'enfant à son milieu familial et social, on le conditionne par un ingénieux système de récompenses et de punitions qui varie selon les milieux.

La psychologie s'intéresse depuis longtemps à cette question fondamentale qui déborde le cadre de ce livre. Reconnaissons simplement que le caractère d'un adulte n'est pas une cire molle qu'on peut modeler à volonté. Quelle que soit leur origine, les penchants deviennent, avec l'âge, des caractéristiques permanentes difficilement modifiables. Il faut apprendre à composer avec ces tendances, en gaspillant le moins possible d'énergie mentale, pour réaliser activement son épanouissement personnel.

Certains philosophes estiment que malgré le cadre étroit imposé par l'hérédité et l'éducation, subsiste quand même une certaine marge de liberté. D'autres, au contraire, insistent sur l'aspect contraignant des facteurs qui fixeraient le caractère et les actes des individus. Les premiers affirment que les humains sont responsables de leur conduite tandis que les seconds soutiennent que le comportement est fortement déterminé par des facteurs biologiques et sociaux. Quant à la pensée religieuse, elle tend à mettre l'accent sur la liberté personnelle en invoquant la nature spirituelle de l'être humain en relation avec le divin.

Nous adoptons l'hypothèse optimiste qu'en dépit d'une programmation biologique et psychologique, l'individu peut faire certains choix. Nous suggérons cependant qu'il peut mieux poser des actes éclairés s'il connaît ses vrais besoins. Une démarche qui suscite un sentiment de vive satisfaction parce qu'elle répond à un besoin profond est un pas vers la réalisation de soi.

Quelqu'un a dit: «La vérité vous rendra libres.» Dans une société, cette affirmation se concrétise par le libre accès à l'information. Sur le plan psychologique, elle trouve son application dans la prise de conscience de ce qu'on est vraiment. Quand on se connaît mal, on reste plus facilement prisonnier de soi-même et des autres. Lorsqu'on se connaît mieux, on cherche à orienter sa vie en respectant le plus possible ses goûts et ses besoins. Or ces informations découlent d'une lecture patiente de ce qu'on a dans le cœur. La croissance personnelle repose en effet sur une meilleure connaissance de soi. Le profil de votre personnalité établi grâce au test SIGMA veut favoriser ce long apprentissage de vous-même.

CLAUDE FOREST, PH. D.

DOCTEUR EN PSYCHOLOGIE ET BACHELIER EN PÉDAGOGIE, L'AUTEUR EST SPÉCIALISTE DE LA MESURE SCIENTIFIQUE DES DIFFÉRENCES INDIVIDUELLES. IL A CONSACRÉ PLUS DE 25 ANS DE RECHERCHES AU DÉVELOPPEMENT DE TESTS ORIGINAUX EN LANGUE FRANÇAISE. IL A ÉTÉ DIRECTEUR DU BUREAU DE L'EXPÉRIMENTATION DE LA C.E.C.M., PROFESSEUR DE PSYCHOMÉTRIE À L'UNIVERSITÉ DE MONTRÉAL ET DIRECTEUR DE LA FIRME PSY-TECH, SPÉCIALISÉE DANS LA CRÉATION DE TESTS D'APTITUDES ET DE PERSONNALITÉ.

Ce livre est imprimé sur
du papier contenant plus
de 50% de papier recyclé
dont 5% de fibres recyclées.

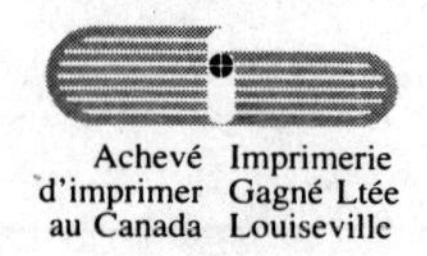

Achevé d'imprimer au Canada
Imprimerie Gagné Ltée Louiseville